Running

Furio Oldani e Igino Floris

RUNNING

Guía completa: la pasión de correr

Ilustración de cubierta: © Cavan Images.

Ilustraciones en el interior: © De Vecchi Ediciones, S.A., excepto en páginas 17, 19, 30, 55, 105 y 125, con copyright indicado allí.

Depósito Legal: B. 7389-2013
ISBN: 978-84-315-5601-3

Avda. Diagonal, 519-521 - 08029 Barcelona

Editorial De Vecchi, S. A. de C. V.
Nogal, 16 Col. Sta. María Ribera
06400 Delegación Cuauhtémoc
México

Índice

Prólogo

Hace ya casi medio siglo que el deporte –los deportes, sería más justo decir–, es parte fundamental de mi vida. Literalmente, no puedo vivir sin él.

He practicado muchos y diversos deportes, desde la pesca deportiva de montaña (confirmo para los incrédulos que realmente es un deporte, no tan alejado como se cree del running, y que además supone una preparación excelente para las carreras de larga distancia, cursas en arena o en senderos de montaña, para las media maratones y las maratones), hasta el fútbol –que adoro (¡lo contrario por desgracia no sería cierto!) y practico de forma profesional– pasando, después de diez años ya, por el running, que se ha convertido en una de mis pasiones, una verdadera adicción. Me di cuenta, a cierta a edad, de que correr es uno de los deportes más adaptados a todas las anatomías, a todas las capacidades atléticas, a todos los presupuestos. Un pantalón corto, una camiseta, buen calzado (¡indispensable!) y, ¡alehop!, vamos allá.

En esta época me he aficionado al maratón. Se vuelve muy difícil librarse de esta pasión, de esta forma de vida. La preparación es minuciosa: 4 sesiones por semana durante 8, 10 o 12 semanas, vigilancia de la alimentación, control del sueño, programas precisos. Corrí mi primer maratón en Londres en 2004. Desde entonces mi ambición es correr lo que se conoce como los "5 Grandes" , a saber: Londres, Berlín, Nueva York, Chicago y Boston. Para este último el problema es que hay que clasificarse con un tiempo determinado dependiendo de la edad de cada uno; tuve el "talento" –digamos más bien la suerte–, de finalizar dentro de sus famosos mínimos (estuve cerca, a una veintena de segundos, pero por encima de la fatídica barrera). Además de los cinco grandes maratones (en realidad ahora son seis, pues Tokio se ha añadido a esta prestigiosa lista, con lo que ya tenemos ahí mi programa de los proximos años…), he corrido dos veces el maratón de París, otras dos veces el de La Rochelle, también el maratón del Mont-Saint-Michel –¡madre mía, qué hermoso es, pero también qué difícil!–, el maratón del Médoc, el de Pekín –terreno llano y muy militar con, como "espectadores", un soldado en posición de firmes cada diez metros– y, en estos seis últimos meses, los maratones de Dublín y de Roma; es decir, un total de 14. También he participado en muchas semimaratones, entre ellas la de Barcelona, que es sin ninguna duda una de mis preferidas: un recorrido muy bello con una organización formidable, de las mejores que conozco... He participado también en carreras por la montaña, cursas en carretera, en enduros y en arena, a campo a través, etc.... ¡En pocas palabras: sufrimiento, esfuerzo, pero sobre todo mucho placer!

A menudo he buscado información sobre el tema y no siempre he encontrado lo que buscaba. Sin embargo, con este libro técnico de MM. Furio Oldani e Igino Floris, muy completo y muy claro, sí he tenido, al fin, suerte. Además comparto su filosofía, por lo que copio esta cita extraída de su introducción: "Me gusta, me divierto, un concepto simple y quizá banal, pero a la vez real, ya que el corredor lo experimenta en primera persona; una afirmación cuya validez únicamente puede comprobarse atándose las zapatillas y empezando a practicar el deporte más antiguo, natural y espontáneo".

Este deporte, a priori fácil, es exigente: mental, física y fisiológicamente. Nos obliga a tener el sentido de esfuerzo, gusto por la preparación menuciosa y rigurosa... y, bajo el riesgo de ser sorprendidos, requiere tener cierto carácter aventurero. Es verdad, somos decenas, incluso centenas de millones de aventureros por todo el mundo. Por todo esto, y sin que te conviertas forzosamente en maratoniano, sino con el único objetivo de disfrutar con placer de la naturaleza, del esfuerzo y del control de tu propio cuerpo, te deseo buenas carreras y una excelente lectura.

FRANÇOIS LAFORGE
Autor de libros sobre deportes
y coordinador de una organización
de maratones

Introducción

Hace algún tiempo un amigo me preguntó qué era lo que me gustaba de la moto y qué era lo que me impulsaba a viajar asumiendo riesgos, exponiéndome al frío, al polvo y a la intemperie, cuando podía viajar cómodamente en una segura y espaciosa berlina. Le di varias respuestas, pero después de una larga y apasionada discusión, sólo una quedó encima de la mesa, que nada tenía de lógico y racional: «Me gusta, me divierto».

A partir de aquel día, he revivido mentalmente aquella conversación, para intentar justificar mi interés por la moto con otros motivos menos aleatorios y más concretos, pero cada vez me he encontrado en el punto de partida: si dejamos de lado los factores emocionales, no hay ninguna razón lógica para preferir la moto al coche.

Las personas a las que les gusta correr experimentan una sensación parecida, ya que basándose exclusivamente en la racionalidad de los argumentos resulta difícil transmitir a los demás lo que nos apasiona. Y de poco sirve el argumento que dice que correr es bueno para la salud. Es cierto que las apreciaciones de los médicos y las estadísticas coinciden en afirmar que corriendo disminuye el riesgo de padecer determinadas enfermedades. Sin embargo, cuando hablamos de este tema con alguien que corre, descubrimos que, en el fondo, la salud no es lo que prima, ya que estas personas seguirían corriendo incluso si se demostrara lo contrario.

Prueba de ello es que la mayoría de la gente que se inicia en la carrera a pie por prescripción médica, para recuperar la forma física o para evitar un decaimiento inminente, si les gusta siguen corriendo una vez finalizado el tratamiento. En cambio, es raro que ocurra lo contrario (es decir, que personas a las que no les gusta correr acepten hacerlo para superar determinados problemas físicos). Es posible que alguna de ellas se machaque los huesos en un gimnasio, pero difícilmente se atreverá a sudar la camiseta en una pista de atletismo.

Correr no es sólo una afición o una forma de pasar el rato: es una síntesis homogénea y equilibrada entre gesto atlético y emotividad, un deporte que se explica en términos musculares pero que encuentra motivaciones y estímulos de índole mental. «Me gusta, me divierto»: un concepto simple y quizá banal, pero a la vez real, ya que el corredor lo experimenta en primera persona; una afirmación cuya validez puede comprobarse únicamente atándose las zapatillas y empezando a practicar el deporte más antiguo, natural y espontáneo.

Hemos nacido para correr

La estructura física del hombre está concebida para el movimiento, como lo demuestra el hecho de que el aparato locomotor humano, representado por músculos, tendones, huesos y articulaciones, constituye aproximadamente el 70 % de la masa corporal total. Precisamente por esta razón, y admitiendo que indudablemente el reposo es útil después del esfuerzo, los efectos de la inmovilidad prolongada repercuten inevitablemente en todo el organismo: los músculos pierden tono y volumen, las articulaciones pierden movilidad, los cartílagos se debilitan, y, en los casos más graves, se pueden originar patologías que influyen más o menos negativamente en la coordinación de los movimientos.

En los niños, la inmovilidad provoca el aumento de toda una serie de problemas relacionados con el desarrollo (cifosis, escoliosis, escápulas aladas, genu valgo, pies planos, etc.), patologías todas ellas que paradójicamente sólo pueden remediarse mediante la gimnasia correctiva, es decir, con la acción, con el movimiento.

Los efectos de la inmovilidad todavía pueden ser de mayor gravedad en los órganos. El hombre sedentario tiene más probabilidades de padecer enfermedades metabólicas (obesidad, diabetes e hiperuricemia) que el deportista. Por otra parte, los fumadores empedernidos y los fumadores «pasivos» pueden contraer bronquitis crónicas, arteriopatías obliterantes o trombosis venosa en las extremidades inferiores. La falta de actividad física hace que aumente el riesgo de arteriosclerosis precoz: cuando las arterias pierden elasticidad se hacen más gruesas y se endurecen, y aumenta el riesgo de infarto de miocardio, que puede ir acompañado de degeneración y necrosis de los tejidos cardíacos.

Los efectos beneficiosos para el cuerpo

De todo lo dicho hasta ahora se puede afirmar que la vida sedentaria es perjudicial para la salud.

La carrera a pie reduce la frecuencia cardíaca en reposo, y aumenta la capacidad vital pulmonar, la capacidad pulmonar total y la oxigenación de los tejidos. El aumento del rendimiento muscular permite soportar mejor la fatiga física, incluso la que provoca el trabajo, y, en definitiva, reduce el cansancio al final del día. Además, corriendo se regularizan las funciones del aparato digestivo y se aumenta el apetito sin dar lugar a excesos.

Es bien sabido que el hecho de practicar un deporte reduce las posibilidades de enfermar. Esto puede explicarse si se considera el entrenamiento como una forma de estrés: al aumentar la preparación aumenta la capacidad de soportar entrenamientos cada vez más intensos y, por lo tanto, situaciones de estrés físico, como son las enfermedades. Tampoco hay que olvidar que la mejora de la forma física se refleja también en el plano sexual, con un aumento del número y de la calidad de las relaciones.

Este beneficio se ve incrementado además por el aumento del tono muscular de todos los vasos sanguíneos y del corazón. Para poder hacer frente al aumento del consumo de oxígeno requerido por los músculos, las venas y las arterias aumentan de diámetro y pueden llegar a originar nuevas redes de vasos sanguíneos que reciben el nombre de *anastomosis*, gracias a las cuales se mejora la irrigación sanguínea en todas las partes del cuerpo. Los nuevos vasos garantizan el aporte de oxígeno a los tejidos, incluso en caso de que se produjera una obstrucción de los vasos sanguíneos «tradicionales», y ello reduce el peligro de infarto.

Los efectos beneficiosos para el corazón

De todo lo dicho hasta este momento se deduce que la carrera a pie puede considerarse una forma de prevención de las enfermedades cardíacas. De hecho, si examinamos los distintos factores que pueden provocar un infarto, veremos que muchos de ellos están relacionados con hábitos erróneos, como la ingestión habitual de alimentos grasos, el tabaco o la falta de actividad física. En todos estos casos, la actividad de correr desempeña una doble labor correctiva: por un lado, impide que el atleta mantenga comportamientos erróneos, y, por otro lado, remedia los efectos perjudiciales que esos comportamientos habían provocado hasta entonces.

Por ejemplo, una pauta alimentaria errónea puede dar lugar a un desequilibrio de ácidos grasos en la sangre y a una concentración excesiva de colesterol, elemento que al coincidir con lipoproteínas de baja densidad (moléculas que sirven para el transporte de los ácidos grasos y de las denominadas «LDL») tiende a depositarse en las paredes de las arterias, y, con el tiempo, puede provocar verdaderas oclusiones del vaso sanguíneo, privando de nutrición y de oxígeno a todos los tejidos que debería irrigar.

En este caso, la actividad física reduce la formación de lipoproteínas LDL, favoreciendo la concentración de otras lipoproteínas de alta densidad que reciben el nombre de HDL, que eliminan el depósito de colesterol de las paredes de los vasos. A propósito de las HDL, hay que recordar que su concentración en sangre en la mujer es superior a la del hombre. Sin embargo, los valores tienden a aproximarse al pasar los 40 años, y a igualarse cuando la mujer entra en la menopausia. En cualquier caso, tanto en el hombre como en la mujer las HDL reducen el riesgo de arteriosclerosis y de infarto, a lo que hay que añadir el control de la alimentación que ya de por sí se suele realizar cuando se inicia la práctica deportiva.

Algo parecido ocurre con el hábito de fumar: el tabaco, además de favorecer la aparición de numerosas enfermedades respiratorias (laringo-traqueítis, bronquitis crónicas, enfisemas, etc.), provoca una serie de trastornos circulatorios, y algunos de sus componentes (como los fenoles y los hidrocarburos policíclicos no saturados, auténticos venenos) aumentan las posibilidades de que se originen tumores. Este riesgo se limita si el consumo diario no sobrepasa los cinco cigarrillos, pero se dobla si el número de cigarrillos pasa a 15, y se triplica con más de 15. Dado que el fumador que corre nota los efectos nocivos del tabaco más que la persona que no practica ninguna actividad física, se crea una situación de sufrimiento que, normalmente, da lugar a una disminución inconsciente de la dosis diaria sin que se experimenten los clásicos trastornos propios de quienes dejan de fumar (nerviosismo, irritabilidad, depresión, etc.).

El correr también es beneficioso para prevenir y tratar la hipertensión arterial (presión sanguínea excesivamente elevada), así como para prevenir la diabetes y la hiperuricemia, y para contrarrestar el estrés psíquico, porque permite la descarga de la tensión nerviosa.

En cambio, no puede hacer nada contra la propensión al infarto debida a causas hereditarias, un factor de riesgo latente pero concreto que nos lleva a hacer aquí una reflexión: al practicar una actividad deportiva se reducen muchísimo las probabilidades de tener problemas cardíacos, pero no se puede pensar que esto sea suficiente para descartar totalmente el riesgo de infarto.

Por otro lado, las personas que ya han sufrido un infarto, siempre que el médico lo apruebe, no deben tener miedo de empezar a correr, puesto que un corazón que ha estado enfermo en el fondo es, y sigue siendo, un músculo y, como tal, siempre obtiene un beneficio del entrenamiento constante y equilibrado. En algunos países (Alemania, Nueva Zelanda, Estados Unidos y Australia) se organizan incluso maratones en los que sólo pueden participar personas que han sufrido un infarto. Obviamente, los tiempos que emplean para recorrer las distancias establecidas no son los mismos que los de los atletas de élite, pero el hecho de que todos terminen la prueba, sin que hasta el momento haya habido ningún problema, demuestra la importancia de la actividad física en la rehabilitación cardíaca después de los infartos, en personas a las que hasta ahora se les había recomendado una vida sedentaria con el convencimiento de que cualquier tipo de esfuerzo los podía perjudicar.

Los efectos beneficiosos para la mente

Los principales resultados que obtienen las personas que practican una disciplina deportiva que exija un trabajo físico intenso son el bienestar general y la mejora del rendimiento físico. En la práctica, el corredor experimenta dos tipos de sensaciones: la primera es corporal, tangible y concreta; la segunda es más difícil de definir y se percibe en términos psíquicos. Efectivamente, el entrenamiento físico no sólo nos hace sentir ligeros, activos y ágiles en los movimientos, con las articulaciones sueltas y los reflejos rápidos; también nos ayuda a serenarnos, y facilita la disponibilidad al buen humor.

Ciertamente, las preocupaciones y los problemas originados por el ritmo de vida actual no se pueden solventar simplemente poniéndose a correr, ya que de poco sirve esto para que nos aumenten el sueldo o para solucionar problemas de trabajo. Pero también es verdad que el esfuerzo muscular nos hace vivir durante un cierto periodo de tiempo en una dimensión distinta de la habitual, que se convierte en un momento de relax que por un lado nos garantiza el mantenimiento de la forma física y, por otro, permite una recarga psicológica: en otras palabras, encontrar nuevas energías para afrontar la vida con mayor fuerza y determinación.

No hay nada más relajante que correr unos kilómetros por un lugar agradable; da serenidad al ánimo y aumenta el equilibrio emotivo. La depresión deja lugar a la alegría de vivir, a la vez que mejora la calidad del sueño: el cansancio lo favorece, y se aumenta la capacidad de recuperación.

La persona que nunca ha corrido difícilmente puede entender los beneficios a nivel psíquico que proporciona este tipo de ejercicio, y no sería de extrañar que interpretara las páginas de este libro como una mera propaganda de una actividad que aparentemente es monótona y cansada.

Pero la realidad no es esta, y para darse cuenta de ello sólo hay que pensar en la estrecha relación que desde tiempos antiguos ha unido al hombre con las formas de movimiento más naturales y espontáneas como la natación y la carrera. Es más: durante siglos, la posición social y jerárquica de cada individuo ha estado relacionada con el rendimiento de sus músculos, y sólo en la edad moderna, con la aparición de las máquinas, el hombre ha sido capaz de evitar determinadas fatigas e instaurar una sociedad en donde predominan las capacidades intelectuales por encima de las físicas. Este paso no ha sido totalmente indoloro, ya que no en vano hoy en día se considera como enfermedad la hipocinesia, un tipo de atrofia física y mental causada por la falta de movimento.

La recuperación de las capacidades motrices tiene un significado mucho más amplio que el mero hecho competitivo, terapéutico o estético: es sobre todo una forma de recuperar la propia identidad, de redescubrir las raíces lejanas que cada uno de nosotros lleva en el ADN, aquellas capacidades y aquella energía interior que hicieron posible que, en tiempos remotos, nuestros antepasados se pusieran de pie y conquistaran el mundo.

Todo el mundo puede correr

Hasta no hace muchos años, cuando alguien corría en un parque o por la calle, las personas «normales» –es decir, las que no corrían– lo miraban con curiosidad. Actualmente la situación ha dado un giro impresionante, y correr para mantenerse en forma se ha convertido en una práctica habitual, incluso cuando lo hacen personas con problemas físicos o de edad avanzada. Se corre en cualquier sitio, solos o en compañía, y el que corre, además de no tener que soportar las burlas ajenas, acaba suscitando un sentimiento oculto de envidia. Gracias a los progresos de la técnica y a la comercialización de ropa específica, ya no es necesario esperar la llegada del buen tiempo para correr. Ahora, ni la lluvia ni el frío pueden detener a quien quiere mover las piernas seriamente.

Todo el mundo puede correr en todas las estaciones del año; por lo tanto, ya no nos tendrá que preocupar la posibilidad de que esta actividad nos lleve a padecer problemas físicos. Si se corre sin llegar a la extenuación y sin pretensiones competitivas, no sólo no se ocasionan problemas de salud, sino que se pueden solucionar los que ya existían. No es ninguna casualidad que el *jogging* se proponga como remedio después de una serie de lesiones o enfermedades, y que existan centros especializados en donde se utilice para recuperar la funcionalidad física después de los infartos.

La persona que ha practicado deporte en su juventud y, más en general, quien ha realizado siempre un mínimo de actividad física, puede empezar a correr sin tener que consultar al médico (consejo también válido para ancianos y en general para todas aquellas personas que no acusan problemas de sobrepeso). *En cambio, sí es aconsejable que todas las personas que sufren enfermedades congénitas y las que nunca han practicado ningún deporte* se hagan un reconocimiento preventivo, ya que no saben cómo les responderá el cuerpo a un esfuerzo prolongado.

La edad no es un problema

Los médicos de todo el mundo coinciden en afirmar que el ejercicio físico es básico para asegurar a los ancianos una vida tranquila y activa. Naturalmente no hay que dar por descontado que «todo funciona», ni olvidar que lo dicho para las personas con sobrepeso también sirve para los ancianos, es decir, que no hay dos personas iguales. En líneas generales podemos decir que las personas que han pasado de los cincuenta y siempre han practicado alguna actividad física pueden correr sin problemas, con la condición de que empiecen de forma progresiva y que se hagan una revisión médica anual.

En cambio, el anciano que no ha corrido nunca en la vida, y que tampoco ha practicado otras actividades deportivas (o bien las ha practicado hace décadas), tendrá que ser más prudente: deberá realizar obligatoriamente una visita al médico y la iniciación a la actividad será lentamente progresiva y contará con la colaboración de un entrenador. En todos los casos, la progresividad del esfuerzo es un elemento básico para evitar que una persona anciana sufra lesiones corriendo, pero la edad en sí misma no debe constituir motivo de preocupación. Quien haya asistido a carreras populares habrá visto personas de 70 años o más en la línea de salida, y que luego, una vez en carrera, dejan detrás a más de un jovenzuelo.

Merece la pena recordar que una actividad deportiva practicada con buen juicio y combinada con el control constante del peso puede alargar la vida. Estudios médicos llevados a cabo en todo el mundo han demostrado que en la franja de edad comprendida entre los 50 y los 70 años la mortalidad es tres veces menor en los deportistas que en los sedentarios. Son muchos los motivos por los cuales un ejercicio físico poco estresante, como es la carrera a pie, puede alargar la vida y, en parte, ya han sido explicados anteriormente. Además, tenemos que añadir el hecho de que un individuo preparado físicamente tiene más reservas a utilizar en caso de enfermedad. Por ejemplo, el aparato respiratorio de una persona de 80 años que no realiza ejercicio físico tiene un consumo de oxígeno que no sobrepasa el litro por minuto, mientras que si esta misma persona practicara un mínimo de actividad física podría disponer de una reserva doble en el caso de afecciones pulmonares agudas.

Los obesos también pueden correr

Se puede correr incluso en condiciones de sobrepeso, con la condición de que antes de empezar se efectúe una serie de largos paseos. Esto hará que el cuerpo se adapte lentamente al esfuerzo atlético, que no podrá iniciarse hasta que la persona no haya empezado a aproximarse al peso-forma. De todos modos, este parámetro no es igual para todo el mundo y, en este sentido, en las páginas que vienen a continuación presentamos unas tablas en las que se relaciona el peso-forma de un individuo con la edad, la estatura y la complexión. Se podrá observar que hay diferencias importantes entre hombres y mujeres y, dentro del mismo sexo, entre individuos de edades y estatura diferentes. En otras tablas indicamos las necesidades energéticas correspondientes a las diversas actividades profesionales. En estos valores también podremos observar grandes diferencias entre las exigencias de los trabajos físicos y los trabajos sedentarios.

Según lo dicho hasta ahora, se puede deducir que no existe un peso-forma ideal, ni una dieta que vaya bien para todo el mundo: cada persona deberá adecuar el ejercicio físico y la cantidad de alimento ingerido a sus necesidades personales. En definitiva, debe quedar claro que hombres y mujeres no son todos iguales, y cada uno de nosotros presenta características físicas y morfológicas muy concretas, contra las cuales poco se puede hacer. Podemos empeñarnos en intentar mejorar el aspecto personal, pero existen unos límites que no pueden superarse y otros que no pueden alcanzarse en pocas semanas. Debemos aceptarnos tal como somos y tener paciencia: no debemos pedir milagros al deporte, sobre todo si este representa para nosotros fundamentalmente un pasatiempo, un rato de ocio.

La indumentaria

El calzado

Se podría afirmar que, para el corredor, las zapatillas son la única prenda deportiva que es verdaderamente indispensable. Conviene elegir un tipo de calzado adecuado al uso que se le va a dar y a las exigencias anatómicas del pie, sin plantearse problemas de estética.

La suela, por ejemplo, deberá ser más o menos grabada en función del tipo de

Compruebe el grabado de la suela ©istockphoto/Thinkstock

Estirar bien los cordones de la zapatilla es muy importante ©istockphoto/ Thinkstock

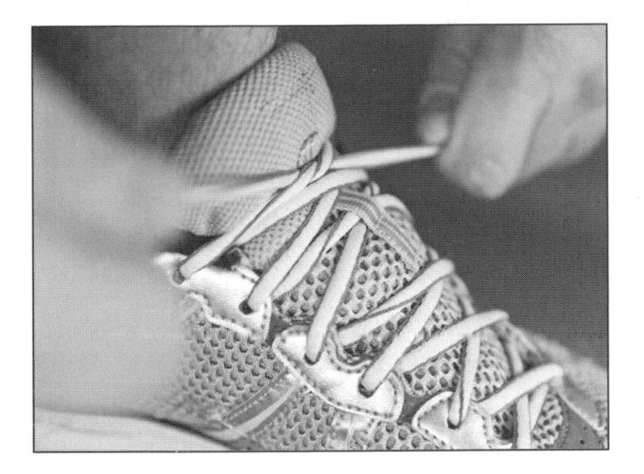

suelo por el que se piensa correr: para las superficies blandas (arena, hierba, tierra suelta) se requiere un grabado que garantice un mínimo de adherencia, en tanto que en asfalto y suelos duros en general la suela debe ser lisa, para proporcionar un apoyo mejor.

La parte anterior del calzado debe ser muy flexible en sentido longitudinal, para no impedir la flexión del pie, pero debe garantizar un mínimo de rigidez torsional para dar solidez al apoyo. En cambio, la parte posterior conviene que sea elástica a la compresión, para amortiguar el impacto del talón contra el suelo, pero a la vez tiene que sujetarlo fuertemente, para evitar los desplazamientos laterales. Además, la suela debe presentar una ligera elevación con respecto a la altura de la parte anterior, para facilitar el trabajo del tendón de Aquiles. Tampoco deberá faltar una plantilla para optimizar el apoyo del pie. Los cordones permitirán que la lengüeta se adapte al pie sin provocar roces, y en la parte anterior, los dedos deberán tener libertad de movimiento.

La zapatilla también debe tener una ventilación correcta, y no podrá ser excesivamente pesada, ni estará construida con materiales demasiado frágiles.

Al empezar a correr no podremos saber todavía los defectos de apoyo que tenemos, y para averiguarlo no sirve observar los zapatos normales. Lo único que podemos hacer es correr y, al cabo de un tiempo, observar el desgaste y la deformación de suelas y lengüetas. Así veremos si la zapatilla en cuestión se adapta a nuestras exigencias o, por el contrario, si se necesita un modelo correctivo, estudiado para atletas con problemas de apoyo.

Esta última elección tiene que valorarse con la ayuda del entrenador o, en su defecto, con el comerciante, a quien tendremos que mostrar sin reparo las zapatillas usadas. Por consiguiente, no sirve de nada invertir mucho dinero en el primer calzado para correr, ya que con toda seguridad se cambiarán al cabo de poco tiempo.

En el segundo par, en cambio, no hay que escatimar en el gasto. Cuando los recorridos se alargan, las zapatillas son básicas para que el pie y la rodilla trabajen correctamente.

1. Las zapatillas que utilicemos para correr no deben emplearse para otras actividades. Por consiguiente, evitaremos convertirlas en calzado de tiempo libre.

2. Después del entrenamiento tienen que dejarse al aire libre, a ser posible en un lugar fresco, seco, ventilado y no expuesto al sol. Si en invierno se mojan, evitaremos secarlas directamente encima del radiador.

3. No importa si las zapatillas se ensucian: no por ello debemos meterlas cada día en la lavadora (aunque un lavado de vez en cuando no es malo, pero no hay que perder de vista que su función principal es pisar). En caso de que se manchen de barro, las dejaremos secar y, una vez secas, las cepillaremos para eliminarlo.

4. No se debe participar en una carrera con zapatillas nuevas. Después de comprarlas es aconsejable un corto periodo de rodaje (de dos o tres días) usándolas como zapatillas de descanso.

5. Con zapatillas nuevas, o después de haberlas lavado, evitaremos que nos salgan ampollas empleando calcetines y untándonos los talones y los dedos de los pies con vaselina.

6. La zapatilla sufre dos tipos de desgaste: el físico, que se aprecia fácilmente, y el funcional, relativo a la pérdida de propiedades de los materiales. De los dos tipos, el segundo es el más peligroso, ya que sólo puede observarse mediante la experiencia (la batida del pie en el suelo se hace más seca y dura). Esto significa que no hay que utilizar las zapatillas hasta que se gasten totalmente, y compraremos unas nuevas cuando notemos que el apoyo ha perdido el tacto que tenía al comienzo.

7. El calzado de la última generación está estudiado según el peso del atleta. En el momento de la compra no procede engañar al dependiente ni engañarnos a nosotros mismos acerca de las posibilidades de perder kilos.

8. Evitemos las zapatillas con sistemas neumáticos o mecánicos para regular la rigidez, ya que sólo sirven para incrementar el precio y está estadísticamente comprobado que se rompen en poco tiempo. Además, una persona poco experta podría lesionarse a causa de una mala regulación.

9. Los zapatos de calle con el tiempo ceden y ganan en comodidad. Las zapatillas de *jogging*, en cambio, no deben ceder, ya que si así fuera tendríamos que cambiarlas. En ningún caso hay que comprar zapatillas estrechas, esperando que se ensanchen. El número debe ser el correcto.

La ropa de verano

En el periodo estival, la vestimenta del corredor se reduce al mínimo, para que la piel se airee y para no tener que llevar a cuestas kilos de ropa mojada al empezar a sudar.

En verano hace mucho calor y, dado que corriendo se quema mucha energía y se produce calor, es importante exponer al aire la mayor superficie posible de piel para facilitar la evaporación del sudor y, así, enfriar el cuerpo. De ahí la necesidad de reducir la cantidad de ropa, pero no de eliminarla, puesto que el tejido contribuye a aumentar la superficie de exposición del sudor al aire. Las prendas óptimas son pantalones ligeros y una camiseta de rejilla.

Es conveniente que las mujeres utilicen sujetadores especiales para atletismo, que evitan el movimiento excesivo de los pechos. En los pies, se recomiendan calcetines cortos de algodón con tela de rizo en la planta.

Pantalón corto y camiseta de tirantes para hombres y pantalones ligeros y camisetas de tirantes para mujeres ©istockphoto/Thinkstock

La ropa de invierno

Correr en condiciones climáticas adversas sin la protección adecuada puede ser peligroso, especialmente para el abdomen, aunque tampoco es bueno abrigarse excesivamente. Lo ideal es vestirse por capas e ir eliminando ropa a medida que se va entrando en calor. Para las piernas se utilizan mallas de licra forrada de algodón, y para el tronco una camiseta de manga larga, una sudadera no demasiado pesada y un chándal de fibra no demasiado grueso. Cuando vayamos notando calor, el chándal será la primera prenda que eliminaremos, seguido, si es necesario, de la sudadera.

Otra alternativa es vestirse con una sudadera y un chaleco. En los pies, calcetines altos de algodón de toalla, o calcetines finos de lana.

Si hace mucho frío se pueden usar dos sudaderas y gorro de lana. No nos dejemos influenciar por los veteranos que

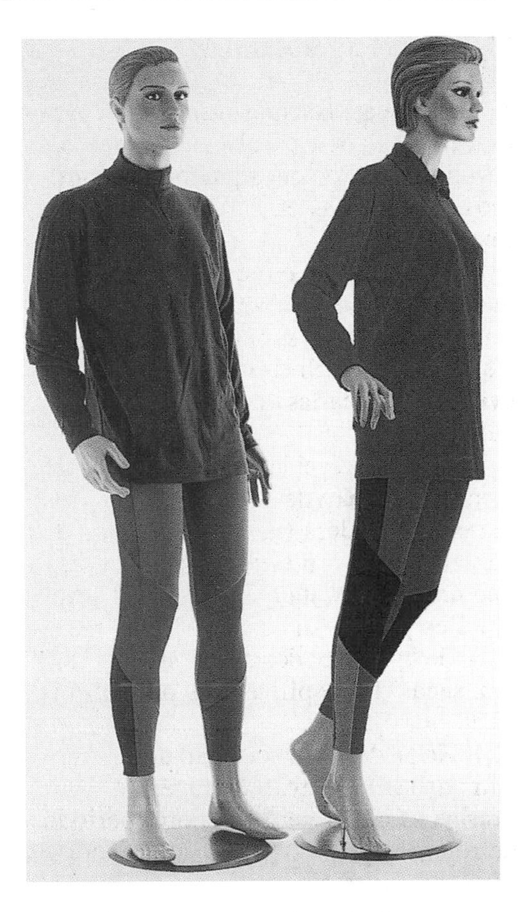

Las mallas son indispensables en invierno

corren bajo la nieve en camiseta de manga corta y pantalones cortos, después de haber calentado la musculatura con masajes a base de aceite alcanforado. Quizás ellos están acostumbrados y no notan el frío, pero los demás corremos el riesgo de resfriarnos.

Consejos prácticos

A la larga, la experiencia nos guiará en la elección de la ropa, según nuestras exigencias personales.

Cuando no hace ni frío ni calor, cada cual podrá vestirse como crea más conveniente. Los más frioleros pueden utilizar mallas de licra fina, y camiseta de manga corta con una sudadera. También se puede probar con pantalón corto y camiseta de manga larga, siempre con calcetines.

Los corredores a los que no les mueven aspiraciones competitivas suelen prescindir de las prendas impermeables: si llueve poco, corren con la ropa de siempre, y si llueve mucho esperan a que pare. Las prendas impermeables no son aconsejables porque provocan el incremento de la sudación, y en casos extremos pueden llegar a causar deshidratación.

Tendremos que evitar las prendas ceñidas o los tejidos ásperos, que pueden provocar irritaciones. Si estas se produjeran, aplicaremos en la parte afectada una fina capa de vaselina para que actúe como un lubrificante y reduzca la fricción entre la piel y la ropa. Este consejo es válido especialmente para el seno, las axilas, las ingles, la parte interior de los muslos y, como ya hemos dicho, los dedos de los pies.

Finalmente, evitaremos introducir en los bolsillos objetos duros. Un par de pañuelos de papel no ocasionan ninguna molestia, pero las llaves de casa o del automóvil es mejor llevarlas en la mano, procurando que sean las imprescindibles. Si se corre por la noche, habrá que procurarse una luz roja (como la que usan los ciclistas) o una cinta reflectante en la cintura o en los hombros.

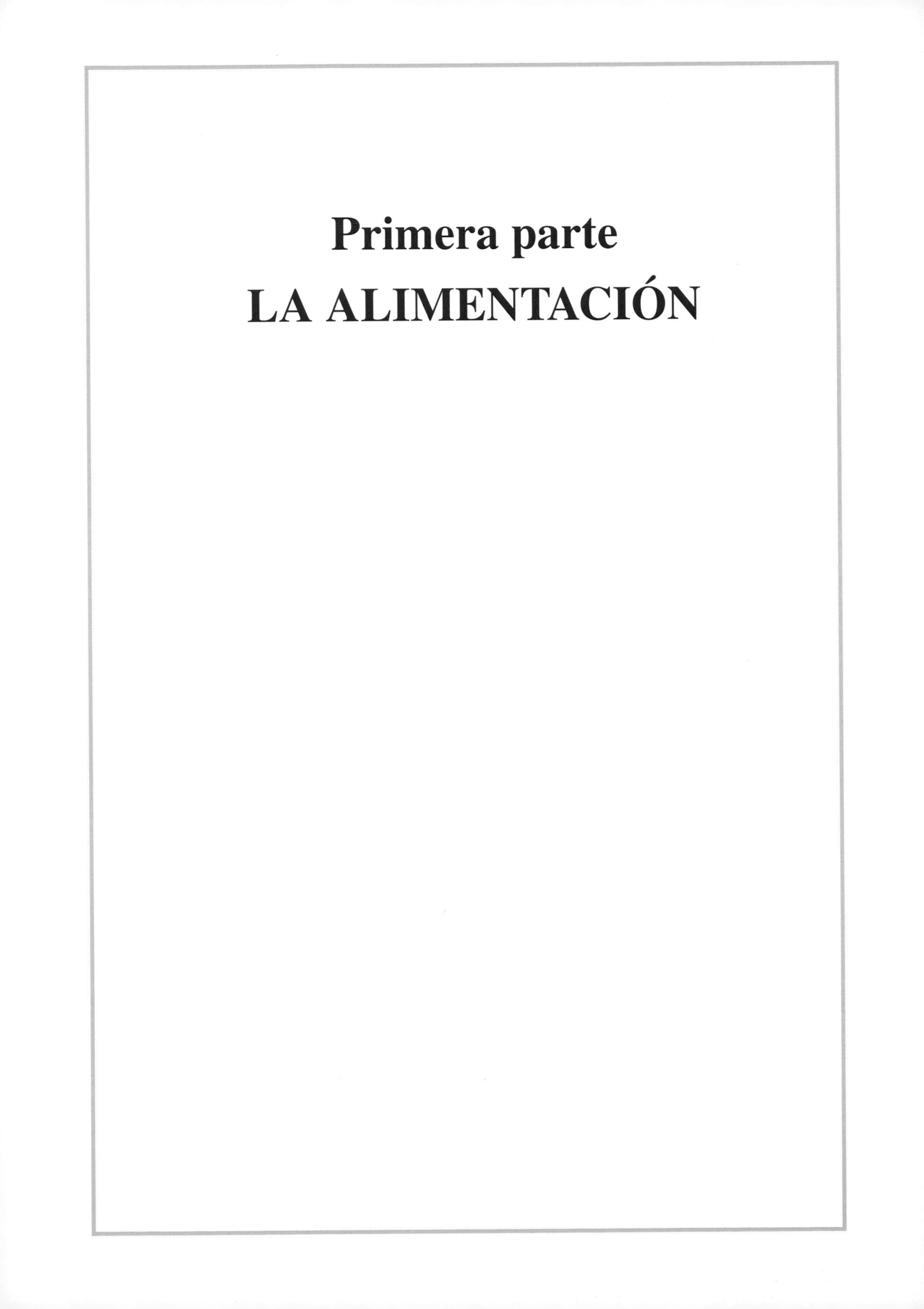

Primera parte
LA ALIMENTACIÓN

Correr no sirve para adelgazar

En muchas ocasiones el deseo de recuperar la línea representa la motivación principal de la persona que decide empezar a correr.

A este respecto, conviene aclarar que, si bien es cierto que corriendo se consumen grasas corporales, también es verdad que esto no basta para perder peso y que incluso puede provocar un aumento del apetito.

Si se quiere adelgazar hace falta complementar la carrera a pie con una dieta equilibrada, rigurosa y de bajo contenido calórico.

Las personas obesas no deben pensar que el simple hecho de empezar a moverse un poco puede ayudarles a reducir las reservas de lípidos acumuladas durante años.

Es evidente e indiscutible que el ejercicio físico ayuda a quemar calorías (una media de una por kilómetro por cada kilo de peso corporal), pero el adelgazamiento sólo se logra si la suma de la energía consumida durante el día (incluyendo el entrenamiento) es superior a la suma de calorías ingeridas. Si esta proporción no es respetada, aunque se corra hasta la extenuación no se conseguirá perder un solo gramo de peso.

La constitución física

Desde el punto de vista médico, existen tres tipos distintos de constitución física, a cada uno de los cuales corresponde un peso-forma ideal. Están los llamados *leptosómicos*, de constitución delgada o grácil, los *atléticos*, de complexión normal, y los *pícnicos*, de talla decididamente excesiva.

Una fórmula para conocer a grandes rasgos a cuál de estos grupos pertenecemos (teniendo en cuenta que no se trata de reglas matemáticas y que cada persona es un caso particular) consiste en medir el perímetro de la muñeca y averiguar en las tablas de las páginas siguientes el tipo de constitución ósea, un parámetro que generalmente está relacionado con la complexión.

Una vez determinado el peso-forma, veremos la diferencia que nos separa (recordemos que 3 o 4 kilos no representan un gran problema) y, teniendo en cuenta también la profesión, podremos determinar la necesidad calórica diaria. A este dato sumaremos las calorías consumidas corriendo, que calcularemos a una media de una por kilómetro y kilo de peso corporal. A partir del resultado final será posible determinar una dieta que permita aumentar o bajar de peso.

En este caso, el autodiagnóstico no es en absoluto recomendable. Es preferible acudir a un dietista, para que nos haga un seguimiento y nos impida cometer errores, a la vez que nos ayude a alcanzar nuestros objetivos con la mayor rapidez.

Una recomendación: las tablas que el lector encontrará en las páginas que vienen a continuación se refieren a medias obtenidas tomando como base estadísticas de ámbito internacional, y su valor es puramente indicativo. No debe ser motivo de preocupación el hecho de obtener valores que difieran de los ideales. Lo más importante es la relación que cada cual tiene con su propio cuerpo. Si alguien es más bien obeso pero se siente bien no tiene por qué obsesionarse porque hoy en día estén de moda las figuras esbeltas o porque las tablas indiquen que le sobran unos kilos: se puede correr y vivir con algunos kilos de más.

No nos engañemos: corriendo esta persona se cansará más que otra delgada, y quizá tardará unos minutos más en recorrer la misma distancia. Pero, ¿es realmente importante todo esto? Se corre para sentirse bien, no para competir, y, por lo tanto, de poco sirven los cronómetros en un parque público.

La relación entre constitución ósea y peso

Para averiguar el peso-forma ideal o, mejor dicho, el que nos corresponde estadísticamente, existen varios sistemas. Uno de ellos consiste en determinar el tipo de constitución ósea, que es un parámetro relacionado directamente con la complexión y, en consecuencia, con el peso.

Es muy fácil saber el tipo de constitución ósea. Para ello, basta con medir el perímetro de la muñeca con un metro de sastre y buscar en la tabla de la página 25 la sigla que relaciona la medida de la muñeca con la estatura. Las siglas utilizadas son las que se emplean en Estados Unidos en las tallas de la ropa.

Las tablas del peso-forma

Una vez determinado el tipo de constitución es fácil averiguar el peso-forma ideal. Este valor se obtiene en las tablas de las páginas 26-28, que están divididas en hombre y mujer. Las desviaciones hasta el 4 % por exceso o por defecto deben considerarse normales. Recordemos que hay que pesarse por la mañana, desnudo, con el estómago vacío y después de haber realizado las necesidades fisiológicas.

xxs	constitución ósea y complexión muy ligeras
xs	complexión ligera
s y **s/m**	complexión media-ligera
m	complexión media
m/l y **l**	complexión media-pesada
xl	complexión pesada
xxl	complexión muy pesada

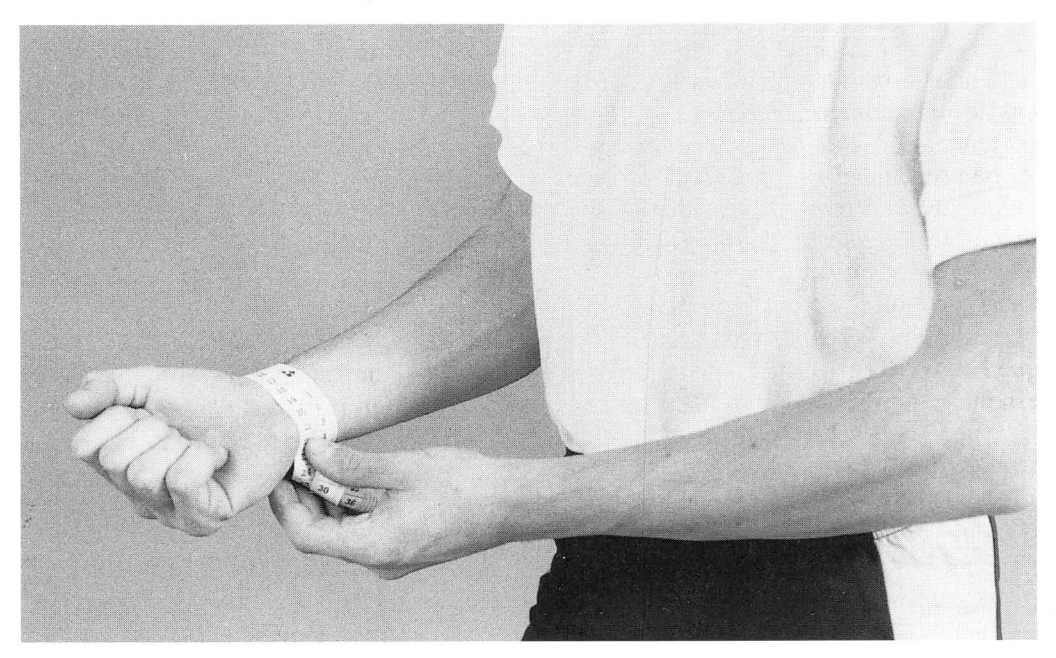

La medición del perímetro de la muñeca con un metro de sastre

Perímetro muñeca (cm)	*Altura (cm)*				
	< 150	*151-160*	*161-170*	*171-180*	*> 181*
10	xxs	xxs	xxs	xxs	xxs
11	xs	xxs	xxs	xxs	xxs
12	s	xs	xxs	xxs	xxs
13	s/m	s	xs	xxs	xxs
14	m	s/m	s	xs	xxs
15	m/l	m	s/m	s	xs
16	l	m/l	m	s/m	s
17	xl	l	m/l	m	s/m
18	xxl	xl	l	m/l	m
19	xxl	xxl	xxl	xxl	xl

La báscula es una opinión

Las tablas que presentamos en las páginas 26-28 no son el único criterio válido para determinar si estamos más o menos gordos. Existen otras muchas, y también otros métodos de cálculo parecidos a los que veremos a continuación (el IMC y la relación estatura/peso). De hecho, podemos afirmar que ha habido especialistas que han elaborado sus propias tablas y sus propios métodos de cálculos. En la

PESO-FORMA PARA MUJERES DE COMPLEXIÓN LIGERA (en kg)										
Altura (cm)	*Edad*									
	21-24	*25-29*	*30-34*	*35-39*	*40-44*	*45-49*	*50-54*	*55-59*	*60-64*	*65-70*
150	47	47	48	48	48	48	48	47	46	46
152,5	48	48	49	49	49	49	49	48	47	47
155	49	50	50	50	50	50	50	49	48	48
157,5	50	51	52	52	52	52	51	51	49	49
160	51	52	53	53	53	53	52	51	50	50
162,5	52	54	54	54	54	54	53	53	52	52
165	54	56	56	56	56	56	55	56	54	54
167,5	56	57	58	58	58	58	56	56	56	56
170	57	59	59	59	59	59	58	58	57	57
172,5	59	61	61	61	61	61	60	60	59	59
175	61	62	63	63	63	63	61	61	61	61
177,5	62	64	64	64	64	64	63	63	63	63
180	64	65	66	66	66	66	66	66	64	64

PESO-FORMA PARA HOMBRES DE COMPLEXIÓN LIGERA (en kg)										
Altura (cm)	*Edad*									
	21-24	*25-29*	*30-34*	*35-39*	*40-44*	*45-49*	*50-54*	*55-59*	*60-64*	*65-70*
155	50	51	52	52	52	52	52	51	51	50
157,5	51	52	53	53	53	53	52	52	51	51
160	52	53	54	54	54	54	54	53	52	51
162,5	54	55	56	56	56	56	55	55	54	53
165	56	57	58	58	58	58	57	56	55	55
167,5	57	59	60	60	60	60	59	59	57	57
170	59	60	61	61	61	61	61	60	59	58
172,5	60	62	63	63	63	63	62	62	61	60
175	62	63	65	65	65	65	64	64	62	62
177,5	63	65	66	66	66	66	66	65	64	63
180	65	67	69	69	69	69	68	68	66	66
182,5	67	70	71	71	71	71	70	70	69	68
185	69	72	73	73	73	73	73	72	71	71

PESO-FORMA PARA MUJERES DE COMPLEXIÓN MEDIA (en kg)										
Altura (cm)	*Edad*									
	21-24	*25-29*	*30-34*	*35-39*	*40-44*	*45-49*	*50-54*	*55-59*	*60-64*	*65-70*
150	51	52	53	52	52	51	51	50	49	49
152,5	52	53	54	53	53	52	52	51	50	50
155	52	53	56	54	53	53	52	52	51	51
157,5	54	55	58	56	55	54	54	54	53	52
160	56	57	59	58	57	57	56	56	55	54
162,5	57	58	61	59	58	58	57	57	56	55
165	59	60	63	61	60	60	59	59	58	57
167,5	61	62	64	63	62	61	62	60	60	59
170	62	63	66	64	64	63	63	62	61	61
172,5	64	65	68	66	66	65	65	64	63	63
175	66	67	70	68	67	67	66	66	65	65
177,5	67	68	72	70	69	68	68	67	66	66
180	69	70	72	72	71	70	70	69	69	68

PESO-FORMA PARA HOMBRES DE COMPLEXIÓN MEDIA (en kg)										
Altura (cm)	*Edad*									
	21-24	*25-29*	*30-34*	*35-39*	*40-44*	*45-49*	*50-54*	*55-59*	*60-64*	*65-70*
155	52	54	55	55	55	54	54	53	52	52
157,5	54	55	56	56	56	55	55	54	53	53
160	56	57	58	58	57	57	56	56	55	55
162,5	58	59	60	60	59	59	58	58	57	56
165	60	61	62	62	61	61	60	60	59	58
167,5	61	62	64	64	63	62	62	61	60	60
170	63	64	65	65	65	64	64	63	62	61
172,5	65	66	67	67	66	66	66	65	64	63
175	66	68	69	69	69	68	68	67	66	66
177,5	69	70	72	72	71	71	70	70	69	68
180	71	73	74	74	74	73	73	72	71	71
182,5	73	76	77	77	77	76	76	75	74	73
185	76	78	80	80	79	79	78	78	77	77

PESO-FORMA PARA MUJERES DE COMPLEXIÓN PESADA (en kg)										
Altura (cm)	*Edad*									
	21-24	*25-29*	*30-34*	*35-39*	*40-44*	*45-49*	*50-54*	*55-59*	*60-64*	*65-70*
150	57	57	58	59	58	57	57	56	56	55
152,5	57	58	59	59	59	58	58	57	57	56
155	58	59	59	59	59	58	58	57	57	56
157,5	60	61	62	62	61	61	60	60	59	58
160	61	61	62	62	62	61	61	60	59	59
162,5	63	64	65	65	65	64	64	63	62	61
165	64	65	66	66	66	65	65	64	63	62
167,5	69	69	70	70	69	69	68	68	66	66
170	69	70	71	71	70	70	69	69	68	67
172,5	71	72	73	73	73	72	72	71	70	69
175	73	74	75	75	74	74	73	73	71	71
177,5	76	77	78	78	77	76	76	75	74	74
180	77	78	79	79	79	78	78	77	76	76

PESO-FORMA PARA HOMBRES DE COMPLEXIÓN PESADA (en kg)										
Altura (cm)	*Edad*									
	21-24	*25-29*	*30-34*	*35-39*	*40-44*	*45-49*	*50-54*	*55-59*	*60-64*	*65-70*
155	62	64	65	65	65	64	64	63	62	61
157,5	63	65	66	66	65	65	64	64	62	62
160	65	66	67	67	67	66	66	65	63	63
162,5	67	68	69	69	68	68	67	67	65	65
165	69	70	71	71	70	70	69	69	67	67
167,5	71	72	73	73	72	72	71	71	69	69
170	72	74	75	75	74	74	73	73	71	71
172,5	74	76	77	77	76	76	75	74	73	73
175	77	78	80	80	79	79	78	78	76	76
177,5	79	81	82	82	81	81	80	80	78	78
180	81	84	85	85	85	84	84	83	82	81
182,5	83	86	87	87	87	86	86	85	84	83
185	85	87	89	89	88	88	87	87	86	85

práctica, se puede afirmar que la obesidad es un factor cuestionable y que no existe un canon absoluto al cual referirse.

Un tercer método para valorar la cantidad de grasa corporal de cada individuo consiste en medir el espesor de los pliegues cutáneos, es decir, de los pliegues de la piel cuando se la pellizca con un instrumento llamado *plicómetro* o *lipómetro*.

En este caso la ventaja es que el método no se basa en valoraciones generales, sino en un análisis médico preciso, si bien, como tal, tiene que ser efectuado por personal especializado.

Índice de la masa corporal (IMC)

Se expresa mediante la fórmula que reproducimos a continuación. En el hombre oscila entre 20 y 25, mientras que en la mujer va de 19 a 24. Los valores superiores hasta un máximo de cinco puntos aconsejan adelgazar un poco, mientras que los valores mayores pueden considerarse situaciones de riesgo.

IMC (Índice Masa Corporal) =
= Peso (en kg) / Altura ^{2} (en metros)

Relación peso/estatura

Más simple que la anterior es la fórmula de Broca, que toma el nombre de su autor, que relaciona el peso con la estatura:

P (peso) = S (estatura en cm) – 100

Por lo tanto, según Broca, un individuo de 170 cm teóricamente debería pesar 70 kg, aunque el propio autor precisa que la fórmula debería corregirse con una serie de parámetros que tuvieran en cuenta la tipología del individuo y el sexo.

Correr en pareja ayuda a los desentrenados o a aquellos con una mente poco competidora ©stockbite/ Thinkstock

«Caminando despacio, se llega lejos»; no hay edad para correr ©istockphoto/Thinkstock

La necesidad energética diaria

La persona que corre tiene que prestar atención a la dieta: la cantidad de energía consumida durante el día, es decir, la suma de la energía necesaria para llevar a cabo las actividades profesionales, y la que se consume corriendo (que, recordemos, se contabiliza por valor de una caloría por kilo de peso y kilómetro) debe ser igual (o superior si se quiere adelgazar) a la cantidad de energía (de calorías) ingerida en las comidas.

En las siguientes páginas presentamos las tablas de los contenidos calóricos de los elementos y de las bebidas más corrientes, así como las necesidades energéticas cotidianas de los hombres y las mujeres que llevan a cabo diferentes actividades físicas.

Multiplicando el contenido calórico de un alimento (la cifra que aparece al lado de cada alimento indica las calorías por cada 100 gramos) por la cantidad ingerida y sumando las calorías de cada alimento se puede calcular el número de calorías ingeridas.

Por lo que respecta a las dos tablas indicativas de las necesidades energéticas, conviene precisar que se refieren a personas de estructura corporal media. En la columna A se indican las calorías que se consumen durmiendo; en la columna B se indican las calorías que se necesitan para llevar a cabo actividades sedentarias; en la C, las previstas para las personas cuyo trabajo requiere una actividad física moderada, y, finalmente, en la columna D figuran las necesidades energéticas de las personas que llevan a cabo actividades fatigantes.

Es importante destacar que el adelgazamiento físico debe buscarse paulatinamente y sin forzar etapas. Para perder un kilo de grasa (perderlo de verdad, en el sentido de consumirlo totalmente) hay que quemar unas 7.000 calorías. La actividad necesaria para lograrlo no produce ningún daño si se reparte en dos semanas. Esto significa un consumo medio de 500 calorías al día, que equivale, para un hombre de 80 kilos, a correr 6 km, es decir, aproximadamente media hora de deporte al día.

No debemos hacernos muchas ilusiones con las pérdidas de peso que se aprecian en cada salida, puesto que corresponden exclusivamente a la pérdida de líquidos producto de la sudación. No son más que falsas impresiones de adelgazamiento, porque el organismo recupera los líquidos estimulando la sed o reteniendo de la comida los líquidos que necesita. Por otro lado, conviene evitar la combinación de dietas hipocalóricas (o sea, comer poco) y esfuerzo físico: *comer poco y correr mucho es la mejor forma para hacerse daño.*

Primeros platos

Arroz 362
Pasta 377
Pasta
al huevo 381

Carnes

Buey 130
Caballo 117
Capón 302
Cerdo 390
Cordero............336
Gallina 302
Oca 354
Pato..................300
Pavo 150
Pollo 175
Ternera..............94

Embutidos

Jamón
de York 422
Jamón
serrano 502
Salchichas........342
Salchichón 472

Pescado y crustáceos

Anguila...........255
Arenque 211
Atún en aceite..198
Atún fresco 124
Bacalao............107
Caballa.............169
Calamar 72
Carpa 95
Dorada 82
Gambas.............77
Langosta 88
Lenguado...........84
Lubina 85
Merluza 74
Pez espada 97
Pulpo 60
Salmonete........113
Sardina fresca..115
Sardinas
en aceite.........214
Sepias 76
Tenca 80
Trucha...............88

Leche y quesos

Gorgonzola........35
Gruyère............385
Leche
descremada......36
Leche entera 65
Mozzarela
de búfala 339
Mozzarela
de vaca...........251
Nata 204
Oveja 375
Parmesano 389
Requesón 375
Yogur 69

Guarniciones, verduras, tubérculos y olivas

Achicoria 20
Acelgas 27
Alcachofa 51
Berenjena...........24
Brécol 29
Calabacín...........18
Calabaza 31
Cebolla 45
Col 24
Coliflor 25
Espinacas...........20
Garbanzos........320
Guisantes
tiernos.............98
Habas.................74
Hinojo...............10
Judías secas 330
Judías tiernas ...144
Lechuga 15
Lentejas 339
Nabo 32
Olivas..............130
Patata 83
Pepino...............12
Pimiento 25
Puerro 44
Rábano...............20
Remolacha.........42
Setas 13
Tomate 20
Zanahoria...........40

Fruta fresca

Albaricoque 50
Almendras 597
Cereza...............60
Ciruela 50
Fresa 37
Higos 72
Limón 32
Mandarina 44
Manzana 50
Melón 20
Naranja 45
Pera...................40
Piña tropical 53
Plátano..............88
Pomelo..............40
Sandía 28
Uva 72

Setas y frutos secos

Avellanas 663
Cacahuetes.......600
Ciruelas secas ..268
Dátiles 284
Higos secos......155
Nueces 646

Condimentos y pan

Aceite
de oliva 900
Mantequilla 716
Margarina 720
Pan blanco 263
Pan integral......240

Dulces

Azúcar blanco..385
Cacao..............293
Chocolate.........550
Mermelada.......278
Miel 294

Bebidas

Cerveza.............35
Licores 240
Vino 73

NECESIDADES ENERGÉTICAS DIARIAS (HOMBRES)				
Altura (cm)	*Actividad*			
	A	*B*	*C*	*D*
160	1.400	1.850	2.300	2.750
162,5	1.400	1.900	2.350	2.850
165	1.450	1.950	2.400	2.900
167,5	1.500	2.000	2.500	3.000
170	1.550	2.050	2.550	3.050
172,5	1.600	2.100	2.650	3.150
175	1.600	2.150	2.700	3.250
177,5	1.650	2.250	2.800	3.350
180	1.700	2.300	2.850	3.400
182,5	1.750	2.350	2.900	3.450
185	1.800	2.400	3.000	3.500

NECESIDADES ENERGÉTICAS DIARIAS (MUJERES)				
Altura (cm)	*Actividad*			
	A	*B*	*C*	*D*
150	1.150	1.500	1.900	2.250
152,5	1.150	1.550	1.950	2.350
155	1.200	1.600	2.000	2.400
157,5	1.250	1.650	2.050	2.500
160	1.250	1.700	2.100	2.500
162,5	1.300	1.750	2.200	2.600
165	1.350	1.800	2.250	2.700
167,5	1.400	1.850	2.300	2.800
170	1.450	1.900	2.400	2.850
172,5	1.500	1.950	2.450	2.950
175	1.500	2.000	2.500	3.050

Comer de forma equilibrada

Una dieta equilibrada y eficaz no puede basarse solamente en los contenidos calóricos de los alimentos. También se tiene que conocer la composición de los distintos alimentos para determinar el aporte nutritivo global. Comer únicamente fruta, por ejemplo, aportaría una gran cantidad de vitaminas, pero habría una carencia de proteínas, y si la dieta fuera fundamentalmente carnívora, faltarían los carbohidratos. Veamos pues cuáles son los «ladrillos» con los que el cuerpo construye sus estructuras.

Las proteínas

Al hablar de «ladrillos» no podemos evitar referirnos a las proteínas, los compuestos que el cuerpo utiliza para construir los tejidos o para sustituir los tejidos dañados. *Las proteínas casi nunca se usan para producir energía, pero son esenciales para el crecimiento.* Una dieta equilibrada debería contemplar la ingestión de por lo menos un gramo de proteínas por cada kilo de peso corporal. En los casos de jóvenes, mujeres embarazadas y atletas que efectúan un entrenamiento orientado a la potenciación muscular, este aporte debe ser muy superior.

Los carbohidratos

Los carbohidratos también reciben el nombre de glúcidos, y *constituyen el carburante principal del cuerpo.* Un atleta necesita diariamente unos 400 gramos, que pueden obtenerse de los azúcares (carbohidratos de asimilación rápida, que no deben superar el 10% de la aportación diaria) o de los almidones (carbohidratos de asimilación lenta).

Las grasas

Las grasas siempre se han considerado perjudiciales para la línea y para el rendimiento atlético, y, en consecuencia, durante años ha habido una tendencia a eliminarlas de las dietas de los deportistas. Pero, en realidad, las grasas también tienen su importancia en una dieta equilibrada, porque *proporcionan las reservas energéticas* que el cuerpo utiliza cuando ha agotado los otros «carburantes». Cuando la duración de un esfuerzo se prolongue más de 2 o 3 horas, puede suceder que se agoten los depósitos de glucógeno musculares. Entonces, la energía necesaria para continuar la actividad pasa a obtenerse, en una proporción que puede llegar al 85%, a través de otros canales, principalmente las grasas. Lo que hace que las grasas sean peligrosas no es su composición, sino el hecho de que suelen ingerirse en cantidades excesivas, y se acumulan unas reservas que nunca llegan a ser utilizadas. Se calcula que una persona normal puede ingerir cada día aproximadamente un gramo de grasas por kilo de peso.

Las vitaminas

No producen energía, ni forman tejidos, pero *son indispensables para hacer posibles las reacciones químicas en las que se basa la actividad del cuerpo.* En total hay 23 vitaminas, y casi todas pueden obtenerse comiendo fruta y verdura.

Las sales minerales

Al igual que las vitaminas, las sales minerales *son esenciales para el funcionamiento correcto del cuerpo*, pero no sirven para construir tejidos ni para producir energía.

Una dieta equilibrada ya suele cubrir las necesidades diarias, pero en caso de carencias también se pueden tomar en forma de complejos minerales.

Los valores nutricionales

La tabla de la página siguiente indica *los valores nutricionales (en gramos)* de algunos alimentos, *referidos a 100 gramos* del producto. Por lo que respecta a las vitaminas, hemos hecho constar las que están presentes en cantidades mayores en las distintas categorías de alimentos.

Algunos ejemplos

Presentamos aquí dos ejemplos de dietas indicadas para las personas que corren.

Insistimos en que se trata únicamente de ejemplos. *Si alguien tiene problemas en su alimentación, es conveniente que consulte a un dietista.*

DIETA DE BAJO CONTENIDO EN GLÚCIDOS DE 3.000 KILOCALORÍAS

Desayuno
Té o café, huevo cocido y cien gramos de jamón de york.

Almuerzo
Caldo, doscientos gramos de carne, cien gramos de queso gruyère.

Cena
Caldo, doscientos gramos de carne, trescientos gramos de espinacas condimentadas.

Fruta a discreción

DIETA DE ALTO CONTENIDO EN GLÚCIDOS DE 3.000 KILOCALORÍAS

Desayuno
Leche o café, cien gramos de pan y cincuenta de mermelada.

Almuerzo
Ciento cincuenta gramos de arroz, cien gramos de carne, cien gramos de patatas cocidas condimentadas con limón y sal, cien gramos de pan y cincuenta de mermelada.

Merienda
Cincuenta gramos de pan y miel, leche.

Cena
Cien gramos de arroz, cien gramos de pescado, cincuenta gramos de patatas con limón, cien gramos de pan, cincuenta gramos de queso y un plátano.

VALORES NUTRICIONALES DE ALGUNOS ALIMENTOS REFERIDOS A 100 g				
Alimentos	*Proteínas*	*Carbohidratos*	*Grasas*	*Vitaminas*
Primeros platos				
Pasta	13	70	2	B_1, B_2, PP
Arroz	7	80	2	
Pan	13	70	2	
Carnes y embutidos				
Buey	21	0	4	B_1, B_2, PP
Ternera	22	0	1	
Cerdo	15	0	37	
Embutidos	28	0	11	
Pollo	19	0	11	
Pescado				
Atún	22	0	8	A, B_2, D, PP
Merluza	17	0	1	
Anguila	15	1	25	
Trucha	15	0	3	
Derivados lácticos				
Leche	3	5	3	A, B_1, B_2, D, E
Yogur	4	4	4	
Mantequilla	1	1	83	
Huevos	13	1	11	
Quesos				
Emmental	27	1	31	A, D, E
Parmesano	36	1	26	
Verduras				
Zanahorias	1	9	0	A, B_1, C, E, K
Coles	2	3	1	
Tomates	1	3	1	
Pimientos	1	4	1	
Patatas	2	16	1	
Espinacas	3	3	1	
Fruta				
Manzanas	1	14	1	A, C
Peras	1	9	1	
Naranjas	1	12	1	
Plátanos	1	23	1	
Dulces				
Chocolate	8	56	30	
Miel	1	80	0	
Bebidas				
Cerveza	1	4	0	
Vino	0	10	0	
Refrescos	1	10	0	

Cuidado con el alcohol, el café y el té

En ningún caso se debe intentar mejorar el rendimiento tomando estimulantes. Sin embargo, puede darse el caso de que alguien los esté tomando sin darse cuenta, por ejemplo abusando del café.

El alcohol

Es una bebida no natural que puede perjudicar gravemente los tejidos y el sistema nervioso si se ingiere en cantidades excesivas. En cambio, puede facilitar la digestión y actuar como vasodilatador si se toma en cantidades moderadas, siempre durante las comidas o después de estas. El vino, por ejemplo, contiene sales minerales de indudable valor, pero no hay que beber más de medio litro al día.

La cafeína y la teína

Contrariamente a lo que se suele creer, la cafeína y la teína no sólo no sirven de estímulo, sino que pueden reducir el rendimiento. Los experimentos realizados en atletas que habían tomado la cantidad de cafeína equivalente a tres cafés, en una maratón demostraron que sus prestaciones habían empeorado en un 7 %.

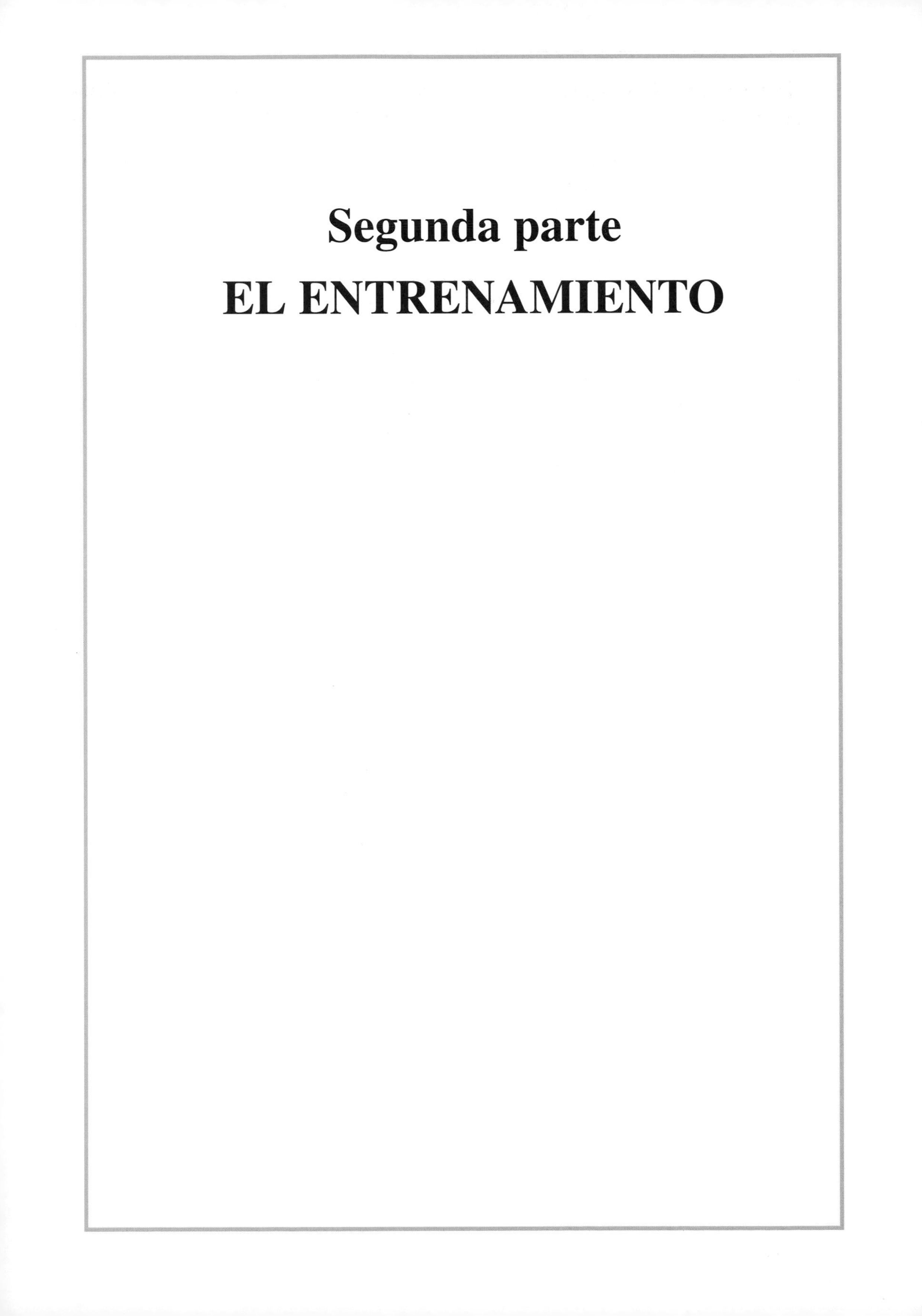

Segunda parte
EL ENTRENAMIENTO

Cómo evaluar personalmente la forma física

Generalmente, toda persona que realiza una actividad deportiva tiende a mejorar el rendimiento, independientemente de si la actividad en cuestión es competitiva o recreativa.

Todos los atletas comparten esta ambición y, por consiguiente, resulta lógico pensar que la persona que corre también tiende a querer superarse a sí misma.

Hay quien se siente atraído por la velocidad; otros, en cambio, prefieren el fondo, aunque en realidad se trata de dos caras de una misma moneda, y de un móvil común, que no es otro que poner a prueba las propias capacidades.

En el caso de los atletas que compiten, este deseo de mejora tiene como objetivo bajar el tiempo empleado en cubrir una distancia preestablecida, y se refleja en el cronómetro, que es el juez más imparcial y objetivo.

En cambio, quien corre con el único objetivo de mantenerse en forma, y que por tanto suele cambiar frecuentemente de itinerarios, no tiene la posibilidad de comparar tiempos, ni tendría ningún sentido que lo hiciera, ya que no busca un resultado en términos absolutos, sino la repercusión del ejercicio realizado en su forma física.

Existen unos test de autovaloración de la forma, elaborados por prestigiosos entrenadores y que pueden resultar especialmente interesantes para las personas que se entrenan por su cuenta. Son diferentes pruebas físicas, que no tienen nada que ver con las carreras, y que nunca dan como resultado final un número con un valor absoluto, sino un dato relativo al rendimiento, cuya interpretación sólo es posible a través de unas tablas. Estas últimas están elaboradas en función de los factores que influyen en el rendimiento (edad, sexo, peso, etc.), de modo que el resultado final sea personalizado y no tenga ningún valor de tipo competitivo.

Para garantizar la objetividad y la fiabilidad de los datos, estos test tienen que realizarse de forma sistemática. No está de más que las personas que nunca hayan corrido realicen un test para tener una referencia de su estado físico en el «momento cero».

Más adelante, y esto es válido para los que ya corren desde hace tiempo, deben efectuarse aproximadamente cada dos meses.

La frecuencia cardíaca

Algunos test de autovaloración se basan en la medición de la frecuencia cardíaca, que suele representar un parámetro fundamental para poder plantear posteriormente un método adecuado de entrenamiento.

La frecuencia cardíaca se mide en pulsaciones por minuto (ppm), aunque podemos calcularla, por ejemplo, contando los latidos en 15 segundos y multiplicando por cuatro.

Esto significa que tendremos que disponer de un cronómetro, que utilizaremos del siguiente modo: haremos coincidir la puesta en marcha con un latido, pero sin contabilizarlo.

Observaremos también y tendremos en cuenta que si contamos las pulsaciones en un periodo de 15 segundos, un posible error queda multiplicado por 4, mientras que si se trabaja con un periodo menor de segundos, aumentan las posibilidades de error.

Las pulsaciones se pueden tomar en la garganta, en la carótida (es decir, en el lado del cuello, debajo de la nuez) o en la muñeca. En todo caso, evitaremos tomarlas directamente en el pecho por motivos prácticos.

La toma de pulsaciones tal como hemos explicado sólo puede realizarse al finalizar el ejercicio, es decir, estando ya parados.

Si tenemos interés en saber el ritmo cardíaco durante el entrenamiento y en un tiempo real, tendremos que utilizar un esfigmógrafo, que es un instrumento parecido a un reloj que indica las pulsaciones gracias a un sensor del que dispone, que se coloca en el tórax, a la altura del corazón.

Existen esfigmógrafos de varios precios, que se pueden encontrar en los comercios especializados y para utilizarlos bien y sacar de ellos el máximo rendimiento tendremos que seguir las indicaciones de un médico o de un entrenador.

Toma de pulsaciones presionando ligeramente la vena carótida: la mano derecha presiona la vena mientras que en la izquierda se coloca el reloj

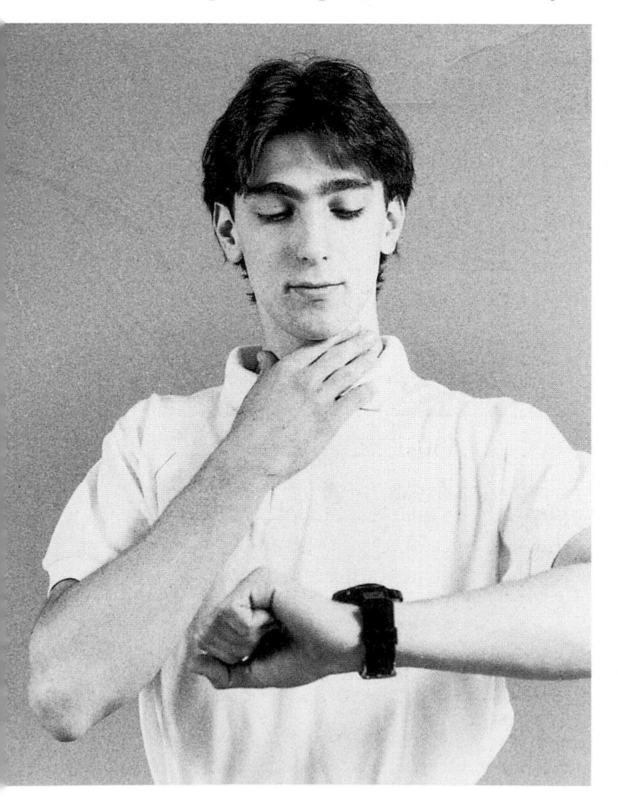

Toma de pulsaciones en la muñeca derecha, con el reloj colocado en la muñeca izquierda

El test de Cooper

Esta prueba fue ideada por el médico americano Kenneth Cooper en la década de los sesenta para evaluar con rapidez las condiciones físicas de los aviadores estadounidenses.

El test es muy simple, y consiste en correr (o en caminar) durante 12 minutos por un trazado llano, procurando cubrir la mayor distancia posible, pero sin llegar al final de la prueba ahogado (es decir, por encima de las 150 pulsaciones por minuto, y con la respiración muy acelerada, las piernas agarrotadas, etcétera).

Una vez finalizada la prueba hay que contabilizar la distancia recorrida expresada en metros (el lugar ideal es una pista de atletismo, de modo que podremos contar las vueltas fácilmente) y buscar el valor correspondiente en la tabla que presentamos a continuación. La distancia, en función de la edad y el sexo, indica el estado de forma.

La tabla fue elaborada tomando como base más de 23.000 test efectuados a individuos sin ningún tipo de preparación atlética. A continuación, estas mismas personas repitieron la prueba después de haber recibido un entrenamiento de unos meses.

Más tarde la tabla fue actualizada con datos que procedían de diversos institutos de medicina deportiva de todo el mundo.

Nivel de forma física		*Edad (en años)*			
		hasta 30	*de 30 a 39*	*de 40 a 49*	*más de 50*
Escaso	Hombres	hasta 1.610	hasta 1.530	hasta 1.370	hasta 1.200
	Mujeres	hasta 1.530	hasta 1.370	hasta 1.200	hasta 1.100
Suficiente	Hombres	1.610-2.000	1.530-1.840	1.370-1.670	1.290-1.590
	Mujeres	1.530-1.840	1.370-1.670	1.290-1.590	1.100-1.350
Discreto	Hombres	2.010-2.400	1.850-2.240	1.690-2.080	1.610-2.080
	Mujeres	1.850-2.160	1.690-2.000	1.530-1.840	1.370-1.670
Bueno	Hombres	2.410-2.800	2.250-2.640	2.090-2.480	2.100-2.400
	Mujeres	2.170-2.640	2.010-2.480	1.850-2.320	1.690-2.160
Excelente	Hombres	más de 2.820	más de 2.650	más de 2.490	más de 2.410
	Mujeres	más de 2.650	más de 2.490	más de 2.330	más de 2.170

El *skip* test

Consiste en correr sobre un mismo punto levantando al máximo las rodillas (*skiping*). El ejercicio se realiza por espacio de 80 segundos, y luego se descansa. Después de 75 segundos de recuperación, se cuentan las pulsaciones para determinar el estado de forma, según la tabla que figura a continuación.

Estado de forma	*Pulsaciones*
Escaso	más de 130
Suficiente	entre 130 y 110
Discreto	entre 110 y 95
Bueno	entre 95 y 80
Excelente	menos de 80

El skip

El *step* test

Es un test parecido al anterior, muy utilizado en los centros de medicina deportiva. Consiste en subir y bajar un peldaño (un cajón de 50 cm para los hombres y 40 cm para las mujeres) cada medio segundo durante tres minutos. Al final se descansa 75 segundos y se toman las pulsaciones. Para saber el resultado consultaremos la tabla.

Estado de forma	*Pulsaciones*
Escaso	entre 160 y 130
Suficiente	entre 130 y 105
Discreto	entre 105 y 85
Bueno	entre 85 y 70
Excelente	entre 70 y 60

Secuencia de un step

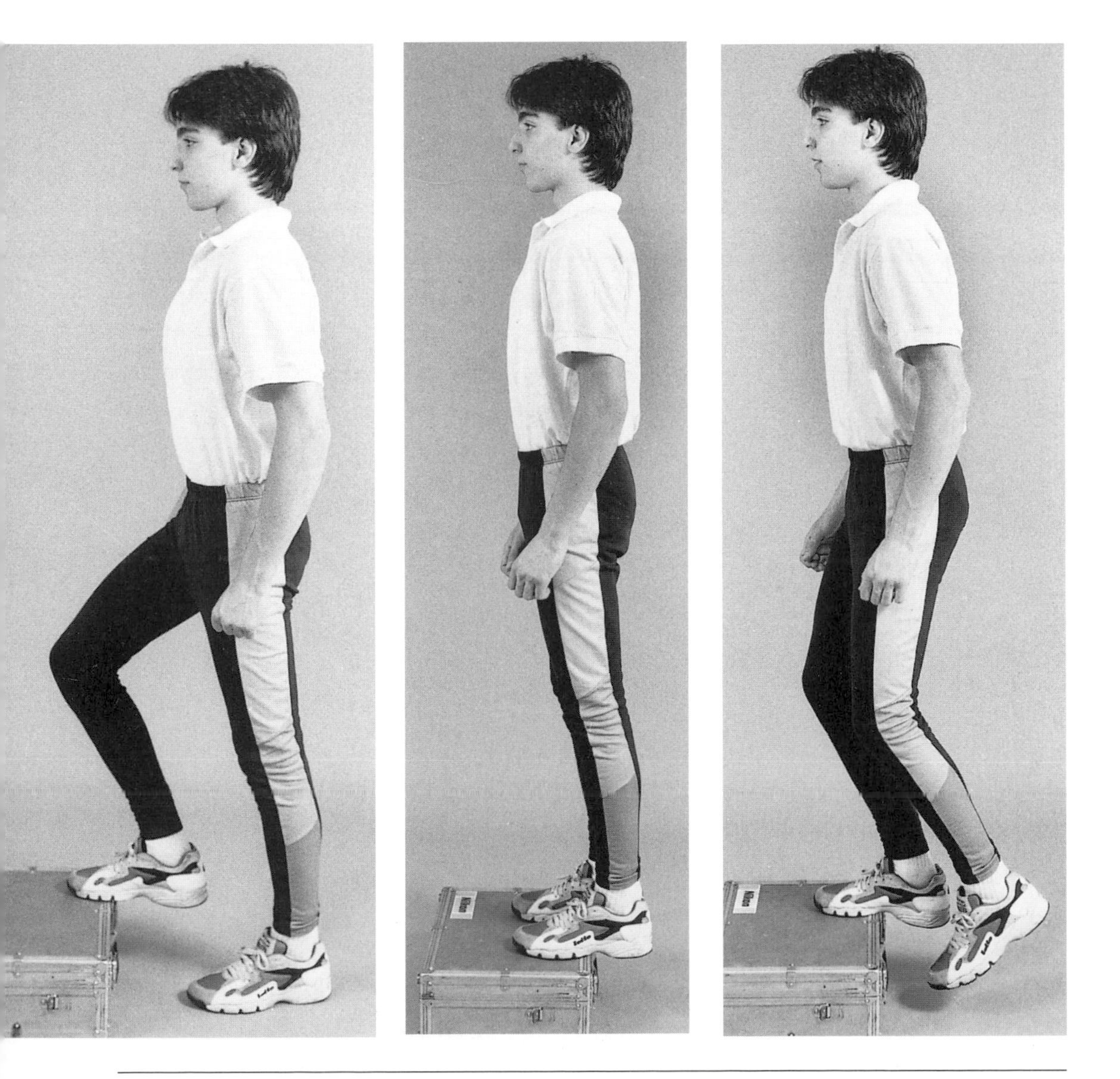

El test de Conconi

Es un test bastante complejo. Para realizarlo correctamente es necesario que haya una persona que asista al atleta. Sin embargo, este test es más científico que los anteriores.

El profesor Conconi es uno de los técnicos italianos más famosos del mundo, y ha preparado a numerosos atletas. *La prueba permite determinar el umbral aeróbico del atleta,* es decir, el momento en que los músculos empiezan a cansarse, una definición quizá muy simple pero que hemos considerado suficientemente clara para indicar el momento en que los músculos, además de quemar el oxígeno de la sangre, empiezan a alimentarse con las reservas de azúcar del cuerpo y, por lo tanto, a producir ácido láctico.

Más adelante explicaremos detalladamente todo lo que comporta este proceso. Por ahora basta que sepamos que *cuanto más alto es el umbral aeróbico, más preparado está el atleta.*

El test se realiza en un trazado llano de aproximadamente 100 metros por donde el atleta tiene que correr a una velocidad constante y midiendo en cada vuelta el tiempo empleado en cubrir la distancia y las pulsaciones. El recorrido tiene que realizarse por lo menos cinco veces, y los datos finales (tiempos y pulsaciones) se obtienen haciendo la media entre las tres mediciones que quedan después de haber descartado la mejor y la peor. Esto significa que el atleta tiene que dar cinco vueltas al mismo recorrido siempre a la misma velocidad, y que de estas cinco tomas obtendrá un único tiempo y una única frecuencia cardíaca.

Al finalizar las cinco vueltas, y después de haber realizado los oportunos cálculos, se repite el test intentando correr un poco más rápido. Este proceso se repite hasta que se acaba corriendo al límite de las posibilidades.

A continuación, se trasladan los datos correspondientes a las distintas pruebas a un diagrama, cuyas coordenadas representarán los valores de tiempo, expresados en segundos (en el eje de abscisas), y las pulsaciones (en las ordenadas). Al unir con una línea los distintos puntos se apreciará que la línea resultante tendrá un tramo recto, y, a partir de cierto punto, comenzará a ascender. La frecuencia cardíaca correspondiente al punto de inflexión coincide con el umbral aeróbico, es decir, con el momento en que los músculos empiezan a cansarse.

A continuación, pondremos un ejemplo de ejecución del test.

Supongamos que corremos un tramo de 100 metros. La primera vuelta se concluye en 34 segundos, a una frecuencia cardíaca de 135 ppm; la segunda vuelta se realiza en un tiempo de 36 segundos, a 133 ppm; en la tercera se invierte un tiempo de 38 segundos, con 130 ppm; en la cuarta, 35 segundos, con 133 ppm, y en la quinta, 33 segundos, con 138 ppm. Descartamos la tercera y la quinta prueba (la más lenta y la más rápida), y sacamos la media de las tres restantes, que es de 35 segundos (34+36+35, dividido entre 3), valor al que corresponde una media de 134 ppm.

Acto seguido, damos otras cinco vueltas a una velocidad más alta, descartamos nuevamente el mejor y el peor resultado y volvemos a calcular la media de los tres resultados restantes. Pongamos que obtenemos un tiempo de 31 segundos y una frecuencia de 141 ppm. Continuamos el test hasta alcanzar la máxima velocidad y ordenamos las medias que hemos ido calculando en una tabla.

Trasladando los datos a un diagrama, observaremos que la línea que represen-

seg.	*ppm*
35	134
31	141
29	146
27	150
24	155
22	160
19	170
16	184

ta nuestro rendimiento tiene un punto de inflexión en las 160 pulsaciones por minuto, al cual corresponde un tiempo, en 100 metros, de 22 segundos. Multiplicando por diez este valor se obtendrá el tiempo, expresado en segundos, que emplearíamos en recorrer un kilómetro (220 segundos). Por último, dividiendo los segundos entre 60 obtendremos el tiempo en minutos y segundos que necesitamos para cubrir la distancia de 1.000 metros utilizando el sistema aeróbico. En este caso concreto, el umbral aeróbico se sitúa en 3 minutos y 40 segundos por kilómetro, un límite que representa la velocidad máxima a la que puede desplazarse el atleta sin demasiados problemas en términos de estrés físico.

Si repetimos el test cada dos meses podremos comprobar los cambios y veremos cómo sube nuestro umbral a medida que avanzamos en el entrenamiento.

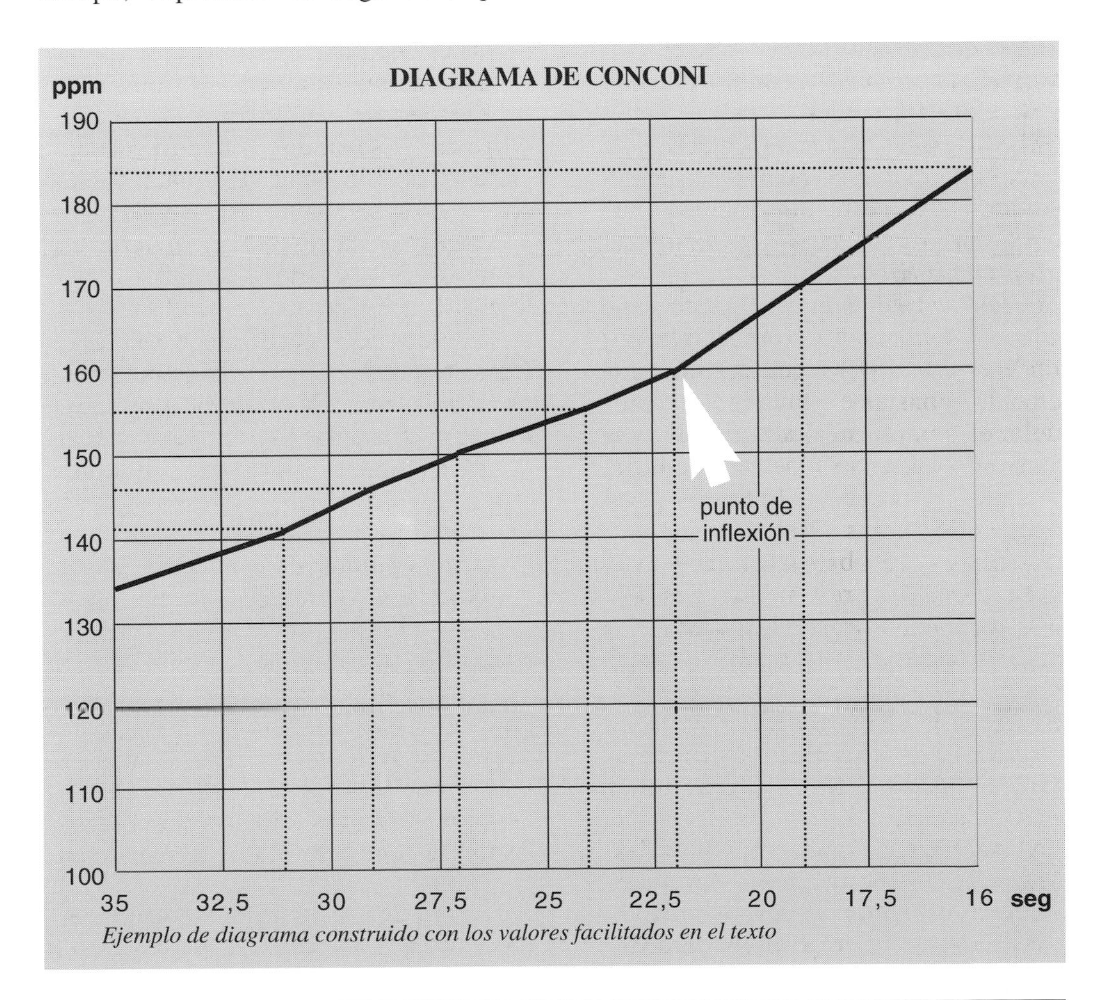

Ejemplo de diagrama construido con los valores facilitados en el texto

Empezar caminando

«Caminando despacio, se llega lejos», afirma un conocidísimo refrán. Pues bien, aunque esto parezca una contradicción, no hay mejor forma de sintetizar el comportamiento que debe adoptarse cuando se entra en el mundo de la carrera a pie.

Por lo tanto, dejaremos de lado la idea de ponernos a correr sin control, y evitaremos las tentaciones de competir con otros corredores, ya que nos resultaría muy difícil ganar cuando todavía no estamos en forma y cuando concebimos el deporte con esta mentalidad tan occidental.

A diferencia de lo que ocurre en Oriente, en donde existen disciplinas que se practican por puro placer, en nuestra civilización todos los deportes van siempre ligados al concepto de competición, hasta el punto que no existe ningún gesto deportivo en ninguna especialidad que pueda considerarse un fin en sí mismo. En otras palabras: podemos afirmar que tanto los atletas como los espectadores que asisten a competiciones deportivas viven todos los deportes en términos competitivos, en forma de desafíos abiertos e incruentos.

Esta forma de pensar puede ser estimulante para las personas que llevan un cierto tiempo corriendo, que están en forma y que se esfuerzan en mejorar sus condiciones, pero puede ser peligrosa para el principiante que todavía no conoce sus posibilidades y sus limitaciones.

Evitemos el estrés

En este caso existe el riesgo de realizar esfuerzos que todavía no somos capaces de soportar y que, por lo tanto, nuestro cuerpo rechazará, tanto física como mentalmente; este último tipo de rechazo tendrá, sin lugar a dudas, consecuencias peores: una ligera crisis respiratoria, unas ampollas o el dolor de un calambre se pueden soportar perfectamente con un mínimo espíritu de sacrificio y sin que sea necesario acudir al médico (son experiencias no traumáticas que con el paso del tiempo quedarán en simples anécdotas para relatar en conversaciones con los amigos); en cambio, resulta más difícil convencerse de que nunca podremos alcanzar ciertos niveles o, dicho de otra manera, descubrir nuestros límites personales, sobre todo si estos son más modestos que nuestras peores expectativas.

Esto es precisamente lo que puede ocurrir cuando no se tienen las ideas claras acerca de los tiempos y las distancias. Ver una casita de dos pisos y pensar que Bubka, el atleta récord del mundo de salto con pértiga, podría saltar por encima del tejado, fascina y desconcierta hasta tal punto que nadie se puede creer que haya una persona capaz de lograrlo. Quizá no es tan fácil ser consciente del valor que tiene correr los 100 metros lisos en 9,9 segundos si nunca se ha estado en una línea de salida y sin haber experimentado lo «largos» que son realmente

100 metros. En un principio, alguien podría pensar que con un poco de entrenamiento él mismo sería capaz de aproximarse a los 9,9, o por lo menos bajar de 11 segundos o, en el peor de los casos, estar sobre los 12. Con las zapatillas puestas, la tentación de descubrir inmediatamente nuestro límite puede dar origen a dos situaciones distintas. Si logramos acabar los 100 metros nos sentiremos satisfechos, aunque seguramente veremos que no hemos bajado de 20 segundos. Pero también podría ocurrir que llegáramos a la meta ahogados o, peor todavía, que tuviéramos que detenernos antes sin poder respirar, con las piernas agarrotadas y el corazón acelerado; podría aparecer la desmotivación, la convicción de no ser capaz que a veces pasa por la cabeza de los atletas cuando se encuentran bajo los efectos del estrés.

Esta sensación se denomina *crisis por fatiga,* y un buen fondista la supera con determinación y experiencia. En cambio, para un principiante, la crisis por fatiga puede tener efectos dramáticos, e incluso le puede llegar a hacer abandonar una actividad que acababa de comenzar a practicar.

Empezar suavemente

El mejor consejo para el principiante es que haga caso de las siguientes recomendaciones: no compararse con nadie, y no intentar darlo todo ya desde el principio. Se empieza caminando, y eliminando de la mente los conceptos de distancia y de tiempo. Esto significa que no hay que ponerse una meta que deba ser alcanzada a toda costa, ni tampoco debe establecerse un tiempo mínimo de actividad. La velocidad no cuenta, la cadencia no nos interesa, ni tan siquiera tiene que preocuparnos el itinerario: lo importante no es «dónde» se va, sino «ir», con la única precaución de no alejarse excesivamente del punto de partida, para poder volver rápidamente en caso de necesidad.

Naturalmente, caminar no significa salir a pasear y pararse a cada instante. El ritmo debe ser ligero: al cabo de unos minutos el esfuerzo tiene que provocar un aumento del ritmo respiratorio y tenemos que empezar a sudar. En opinión de muchos técnicos, el ritmo correcto que se debe mantener en las primeras salidas es el que permita hablar, con un ligero esfuerzo, con un acompañante. Si nos falta aliento para hablar quiere decir que vamos demasiado deprisa, mientras que si el diálogo es fluido tendremos que acelerar un poco el paso. Esta norma puede parecer superficial, pero es muy útil para quien no ha corrido nunca y que, lógicamente, tiene que hacer el rodaje, al igual que sucede con los motores que acaban de salir de fábrica o que han permanecido mucho tiempo sin funcionar.

El rodaje nos dará la oportunidad de conocer mejor y más de cerca los lugares en los que más adelante tendremos que trabajar con un poco más de intensidad. Después de unos paseos, la respuesta más espontánea será empezar a correr o, mejor dicho, a trotar con un ritmo que a buen seguro no será mucho más rápido del que llevábamos caminando, pero que en cualquier caso será la base sobre la cual se planteará un entrenamiento específico y metódico.

Una iniciación suave a la carrera como la que se ha descrito nos evitará desilusiones y estrés, a la vez que nos permitirá aprovechar los efectos beneficiosos que conlleva la práctica del ejercicio físico. Es posible que al principio se noten algunas molestias musculares (especialmente a las 24 horas después de la primera salida), pero en poco tiempo se convertirán en una sensación general de ligereza y dinamismo.

La iniciación a la carrera

La persona que nunca haya hecho deporte, que tenga unos kilos de más o que tenga ya una cierta edad, es preferible que antes de ponerse a correr salga algunas veces caminando a buen paso. El esfuerzo es mucho menor que el que luego tendrá que realizar, pero le permitirá hacer trabajar el corazón, los pulmones y los músculos sin provocarles un excesivo estrés. En líneas generales, se puede calcular el número de salidas necesarias para estar seguros de haber hecho un rodaje correcto con la siguiente fórmula: nuestra edad menos 20, y multiplicado por 2. En términos prácticos, esto significa que una persona de 60 años es conveniente que camine cada día durante casi tres meses. No obstante, esta recomendación tiene que ser valorada en función del estado físico de cada uno.

Quien se sienta en forma puede reducir este periodo para pasar antes a la carrera lenta, pero si surge algún problema será necesario ir más despacio y consultar con un especialista en medicina deportiva para que establezca la progresión adecuada.Si se trata de una persona que no tiene ningún problema físico en particular, se puede comenzar con una salida caminando de 15 minutos, que se irá alargando 10 minutos cada día hasta llegar a una hora.

El ritmo que habrá que llevar, aunque es diferente para cada individuo, en términos generales oscilará entre cuatro y seis kilómetros por hora (recordemos que 10 km/h es la velocidad de entrenamiento de los marchadores en distancias largas, y que 12 km/h es ya una buena velocidad, que no permite hablar con los acompañantes).

El bienestar no tardará en dejarse notar

Si se empieza caminando, se conseguirá descubrir que *el movimiento estimula los sentidos y ayuda a la reflexión,* dos fenómenos que, al combinarse, permiten reencontrar la armonía y el diálogo con uno mismo, algo que el ritmo de vida que impone la sociedad actual nos hace olvidar con frecuencia.

Se aprenderá a escuchar los latidos del corazón, a apreciar el trabajo de los pulmones, a interpretar el lenguaje de los músculos y de las articulaciones, todos ellos capaces de «hablar» emitiendo para ello pequeñas señales que solamente la persona que corre puede interpretar plenamente.

Por otro lado, se aprenderá a vivir el camino, a sentir las pequenas variaciones de pendiente, las diferentes rugosidades de los asfaltos o el mullido de la hierba, y será curioso notar que, con el paso del tiempo, las piernas tienen una respuesta rápida y automática a cada medio natural. Y, como ya hemos apuntado anteriormente, serán las propias piernas las que nos indicarán el momento de empezar a trabajar en serio, el momento de pasar a un entrenamiento programado cuya finalidad no será lograr ningún récord, sino recuperar la movilidad en la que se basa la práctica de cualquier actividad deportiva.

Después de esta segunda fase, cuando se tenga la certeza de que el cuerpo trabaja correctamente, se podrá pensar en empezar a tomar tiempos y a competir. Una vez que hayamos llegado a este punto, necesitaremos ya la colaboración de un entrenador.

No hay que dejarse llevar por la euforia

Normalmente, cuando alguien empieza a correr y a entrenarse, muy pronto empieza a notar que su rendimiento mejora bastante después de unas pocas salidas. Este fenómeno hace que el principiante se sobrevalore y crea que está en plena forma. Sin embargo, no hay nada más lejos de la realidad.

Como explicaremos a continuación, en realidad las mejoras están relacionadas con una serie de mecanismos que nuestro cuerpo pone en marcha para afrontar una situación operativa imprevista, respuestas automáticas pero coherentes con la forma física.

Por lo tanto, no se trata de mejoras producidas por el entrenamiento, sino por el despertar de facultades que hasta ahora estaban dormidas.

Las mejoras propiamente dichas, es decir, las que están producidas por el entrenamiento y el aumento de la masa muscular, vendrán a continuación y serán menos espectaculares. Si la primera vez que corremos 1.000 metros lo hacemos en cinco minutos, y la segunda en cuatro, no debemos caer en el error de pensar que la próxima vez conseguiremos hacerlo en tres. Entonces descubriremos amargamente que en realidad se necesitan tres minutos y cincuenta segundos, y que para bajar a tres minutos y cuarenta segundos tendremos que sudar mucho.

Las fibras musculares

Nuestros músculos están constituidos por fibras blancas, de contracción rápida, y por fibras rojas, de contracción lenta. Los porcentajes de fibras blancas y de fibras rojas son distintas en cada músculo, según su acción específica. Por ejemplo, el gastrocnemio, el músculo de la parte posterior de la pierna, tiene una concentración de fibras blancas muy elevada, para estar en condiciones de dar una respuesta potente e instantánea (por ejemplo, al saltar). En cambio, los músculos que se utilizan para esfuerzos prolongados pero relativamente suaves se caracterizan por un porcentaje alto de fibras rojas.

A causa de la diferenciación de funciones, las fibras también se alimentan

Tipo de atleta	*Fibras de contracción rápida (blancas)*	*Fibras de contracción lenta (rojas)*
Levantadores	55 %	45 %
Maratonianos	18 %	82 %
Nadadores	26 %	74 %
Saltadores	63 %	37 %
Velocistas	63 %	37 %

de distinta forma: el número de capilares por masa de fibras es inferior en las fibras blancas que en las rojas, que principalmente contienen más hemoglobina y mitocondrias.

En la distribución de las fibras interviene el factor hereditario, y el entrenamiento no permite cambiar las proporciones.

Por lo tanto, según todo esto, hay individuos más aptos para deportes explosivos y de potencia, y otros más dotados para las actividades largas y continuadas. En la tabla de la página 53 se puede observar los distintos porcentajes de fibras blancas y rojas en diferentes tipos de atletas profesionales.

El desarrollo muscular

Si el músculo trabaja sin carga, aunque lo haga durante horas, desarrolla poca fuerza. Por el contrario, el músculo que se contrae desarrollando más del 50 % de su fuerza máxima, aumenta rápidamente el rendimiento aunque trabaje pocas horas al día. Concretamente, la fuerza muscular, en un individuo no entrenado aumenta un 30 % durante las primeras 6/8 semanas, y sigue la evolución con variaciones muy limitadas. Esto se debe al hecho que en el primer periodo se mejora principalmente la capacidad del músculo para producir energía, es decir, que se utiliza una capacidad que ya existía, pero en estado latente. En cambio, en la segunda fase se produce el aumento de la masa muscular, proceso que suele tener lugar con una cierta lentitud. El aumento de la masa muscular recibe el nombre de hipertrofia, y viene determinado principalmente por el nivel de secreción de testosterona. Mediante el entrenamiento se puede llegar a una hipertrofia del 60 %, producida por el aumento del volumen del diámetro de las fibras, y no por el aumento del número (hiperplasia).

Los cambios que tienen lugar en un músculo hipertrófico son los que describimos a continuación:

— aumento de las miofibrillas proporcional a su nivel de hipertrofia;
— aumento del 120 % de las enzimas mitocondriales;
— aumento de los componentes del sistema fosfágeno, incluyendo ATP y fosfocreatina;
— aumento de las reservas de glucógeno;
— aumento de las reservas de triglicéridos.

Entrenarse metódicamente

Entrenarse significa realizar una serie de actividades físicas que están dirigidas a mejorar el rendimiento del atleta. Los resultados se logran con el perfeccionamiento técnico de los movimientos y a través de la potenciación del tono muscular de los sistemas respiratorio y cardiovascular.

Además, el entrenamiento tiene influencias psicológicas positivas, ya que permite que el individuo se conozca mejor a sí mismo, aumenta la capacidad de resistencia a la fatiga y al estrés, y propone una actividad diferente a las habituales que, para la mente, tiene efectos similares al reposo.

Sin embargo, todos estos resultados positivos sólo se pueden alcanzar con un entrenamiento racional y equilibrado, siguiendo un programa personalizado que ayude al atleta a no excederse en el volumen de entrenamiento, o que le impida dormirse. Por otro lado, el programa sirve para dar regularidad y constancia a las sesiones de entrenamiento, evitando así que se sucedan periodos de sobrecarga de trabajo y periodos con carencia absoluta de actividad física. *Progresividad y continuidad son las palabras clave de la persona que empieza a correr,* dos imperativos que deben aplicarse durante todo el año, aunque sin llegar al estrés (si un día no tenemos ganas de salir a correr tampoco pasa nada).

La carrera a pie tiene que vivirse como un momento de relax, nunca como una obligación.

El entrenamiento tiene influencias psicológicas positivas, más aún cuando el lugar es bonito, como un bosque ©zoonar/Thinkstock

Empezamos a correr

La persona que nunca ha hecho deporte o que vuelve a practicar ejercicio físico después de muchos años de inactividad debe tener paciencia: la primera sesión será bastante corta, y en las posteriores no se podrá aumentar tampoco mucho la distancia. Existen dos formas de calcular los metros que se pueden recorrer en la primera sesión y de saber cuántos metros hay que añadir a las siguientes, aunque la norma fundamental es que cada uno se tiene que dosificar según sus propias sensaciones. Si al final de una sesión nos sentimos bien y tenemos ganas de proseguir, podemos seguir corriendo un rato más: no nos hará ningún daño. Si, por el contrario, durante un entrenamiento normal notamos que algo no funciona, bajaremos el ritmo o nos pararemos: no pasa nada, no estamos compitiendo.

Además, los primeros días evitaremos los itinerarios demasiado accidentados o discontinuos y los suelos inestables. Asimismo, no correremos después de comer, ni lo haremos a un ritmo demasiado fuerte: la velocidad ideal es la que nos hace incrementar ligeramente el ritmo respiratorio (entrenamiento aeróbico), pero sin llegar a resoplar. Si se cuenta con un esfigmógrafo, se puede partir del número de pulsaciones en reposo y doblarlas. El valor resultante no tiene que superarse en las primeras salidas y, en cualquier caso, no hay que superar las 120 ppm.

Por lo tanto, desecharemos la posibilidad de esprintar para adelantar a un amigo o para no encontrar el semáforo en rojo (no ocurre nada si nos detenemos). En cambio, es una costumbre excelente empezar y concluir el entrenamiento caminando. Pero, volvamos a las fórmulas.

Para calcular la distancia de la primera sesión de carrera a pie en función de la edad, hay que restar nuestra edad de 65, dividir el resultado entre 10, elevarlo al cuadrado y multiplicar el resultado por 150.

A continuación, para saber qué distancia debemos añadir a cada sesión, partiremos del resultado obtenido mediante la fórmula anterior y lo dividiremos entre 3.

Para ahorrarnos operaciones matemáticas, he aquí una tabla que sintetiza las dos fórmulas.

Edad	*Distancia inicial (en metros)*	*Distancia a añadir (en metros)*
20	3.038	1.013
25	2.400	800
30	1.838	613
35	1.350	450
40	938	313
45	600	200
50	338	113
55	150	50

Como podemos comprobar, a mayor edad, con mayor prudencia hay que actuar (aunque eso no significa que no se pueda correr). Tengamos presente que las tablas tienen un valor orientativo. Por otro lado, la edad que figura es la anagráfica, y no la biológica.

Una persona de 55 años que se encuentre perfectamente y que siempre haya llevado a cabo un mínimo de actividad deportiva puede empezar corriendo distancias superiores a las que se indican para personas de 35 que empiezan de cero. Por último, digamos que no existe ninguna tabla que limite la progresión. Con la experiencia, cada atleta encontrará la distancia que más se adapta a sus características y que le permite expresar mejor sus dotes de fondista.

El calentamiento

Antes del entrenamiento y, en general, antes de cualquier actividad física, hay que preparar el cuerpo para el esfuerzo que va a llevar a cabo. En pocas palabras, se trata de hacer lo mismo que hacemos en invierno cuando arrancamos el coche, es decir, esperar un rato a que se caliente, ya que, como todo el mundo sabe, si se arranca con el motor frío se producen averías. Nuestro cuerpo también necesita estas atenciones: no en vano esta fase recibe el nombre de *calentamiento*, y puede considerarse como una especie de entrenamiento para el entrenamiento. En la mayoría de ocasiones, el calentamiento consiste en 15-20 minutos de carrera lenta y termina en el momento en que se rompe a sudar o, si el clima es muy severo, a notar calor. Está claro que para las personas que corren distancias largas a velocidad lenta, el calentamiento no es más que la primera parte de su itinerario. En cambio, cuando se desea articular el entrenamiento de otra forma, primero hay que calentar, independientemente del tipo de actividad que se va a realizar a continuación.

Alargamos el paso

El entrenamiento que hemos descrito, y que es el que debe seguir todo aquel que corre por primera vez, consiste en un trote lento en distancias cada vez más largas, y sirve para acostumbrar el cuerpo a un esfuerzo y una acción inhabituales. Corriendo largas distancias a baja velocidad (recordemos, alrededor de las 120 ppm) se forma una base de fondo. También se podrá observar una clara mejora del rendimiento personal, inicialmente muy rápido y luego cada vez más lento, hasta llegar a un punto en el que nos daremos cuenta de que ya no progresamos.

Precisamente, al llegar al mencionado punto tendremos que tomar una decisión fundamental: continuar corriendo, sin plantearse nada más (es decir, aceptando nuestros propios límites), o bien buscar la forma de mejorar, aunque sólo sea para poder alargar las distancias y poder pasar a nuevos recorridos.

Si se opta por la segunda posibilidad, habrá que pasar a una nueva fase de entrenamiento, más fraccionada y con el objetivo claro de reforzar las cualidades físicas que se poseen.

El entrenamiento especializado

Resistencia a la fatiga, potencia, rapidez de movimientos, agilidad y una gran movilidad articular son las características que todo atleta sueña con tener. Pero, en realidad, no es posible ni útil trabajarlas todas al mismo tiempo. En efecto, si asistimos a alguna competición de atletismo, nos daremos cuenta de las diferencias entre los atletas de las diferentes especialidades: los de largas distancias suelen ser delgados y estilizados, mientras que los que participan en pruebas de pocos segundos son más potentes y musculosos. En efecto, en las carreras de fondo, lo que cuenta es la resistencia a la fatiga, es decir, la capacidad de los músculos de realizar un esfuerzo prolongado pero de intensidad moderada; en cambio, los velocistas y los saltadores necesitan potencia, o lo que es lo mismo, la capacidad de realizar esfuerzos elevados y cortos, y velocidad, que es la capacidad de contraer las fibras musculares en pocas fracciones de segundo. Un fondista demasiado robusto se vería mermado por el peso de su propia masa muscular, cuyas virtudes en esfuerzos instantáneos de nada le servirían, mientras que un velocista demasiado delgado no tendría en sus piernas la fuerza explosiva necesaria para vencer a sus adversarios.

Esto implica que cada atleta tiene que seguir un entrenamiento que esté en función de un objetivo concreto y que, a la vez, le permita desarrollar las características musculares más útiles para el tipo de esfuerzo.

Cuando el corredor aficionado llega al término de la fase de iniciación a la carrera que hemos descrito en los capítulos anteriores, es conveniente que elija un entrenamiento específico orientado a la mejora de la velocidad o al aumento de las distancias. De este modo, podrá conocer a fondo sus límites personales, que se basan en el comportamiento de los músculos utilizados.

La resistencia aeróbica y anaeróbica

Ningún músculo puede dar el rendimiento máximo durante un periodo de tiempo relativamente largo, que situaremos en más de 10 segundos. Si el esfuerzo se prolonga, entra en acción una segunda capacidad del músculo que denominamos *resistencia*. Con este término se indica la fuerza máxima que el músculo puede realizar durante periodos de tiempo largos, característica que depende básicamente de las sustancias nutritivas que contiene el propio músculo y, en particular, de la cantidad de glucógeno. Por esta razón, la resistencia depende mucho de las dietas, afirmación que queda demostrada por estudios realizados en atletas profesionales que compiten en pruebas de larga duración, como la maratón. Dichos estudios han demostrado que la dieta condiciona enormemente la capacidad de resistencia, entendida como el tiempo que se puede mantener la velocidad de carrera antes de llegar al agotamiento total de las fuerzas.

Estos valores explican la importancia que tiene para un atleta la dieta de carbohidratos los días previos a una carrera,

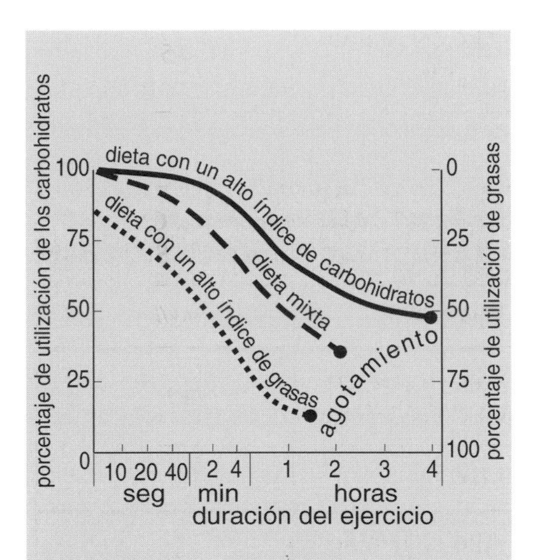

La alimentación es fundamental a medida que van transcurriendo las horas de actividad física. En el gráfico se puede apreciar la mayor capacidad de resistencia de un atleta que sigue una dieta en la que predominan los carbohidratos

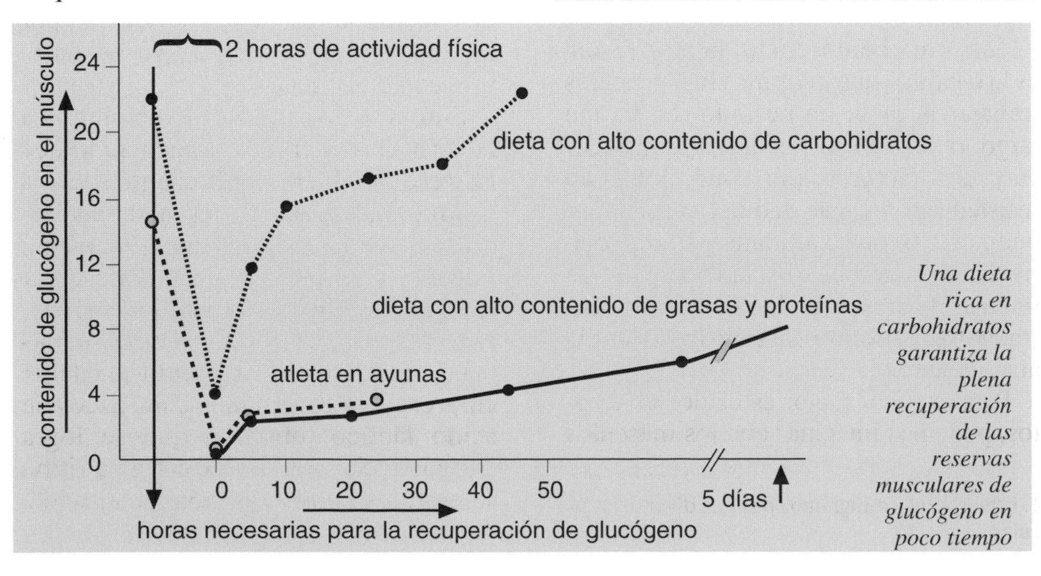

Una dieta rica en carbohidratos garantiza la plena recuperación de las reservas musculares de glucógeno en poco tiempo

Tipo de dieta	*Resistencia al ritmo de carrera (minutos)*
Alto contenido en carbohidratos	240
Mixta	120
Alto contenido en grasas	85

CONCENTRACIÓN DE GLUCÓGENO ACUMULADA EN LOS MÚSCULOS

Tipo de dieta	*mg/kg*[1]
Alto contenido en carbohidratos	40
Mixta	20
Alto contenido en grasas	6

y el descanso durante las 48 horas que la preceden.

Tal como hemos visto, la resistencia es la cualidad que permite a los músculos trabajar durante un periodo de tiempo largo, realizando un esfuerzo moderado. Hay dos factores que condicionan la resistencia: la capacidad del músculo de quemar grandes cantidades de oxígeno (resistencia aeróbica) y la capacidad de trabajar en presencia de grandes concentraciones de ácido láctico (resistencia anaeróbica).

Para explicar mejor estos dos conceptos, podemos imaginar que los músculos funcionan como un motor que necesita combustible para andar.

1. Mg/kg indica miligramos por kilo de masa muscular.

Resistencia aeróbica

El combustible de los músculos es normalmente el oxígeno. Mientras el músculo trabaja quemando solamente oxígeno no hay problemas: en teoría, la actividad física podría durar un tiempo indefinido y la recuperación de la fatiga sería siempre muy rápida.

Esta capacidad se consigue mejorar por medio del entrenamiento continuo en distancias largas y manteniendo un nivel medio de pulsaciones. Es precisamente el tipo de trabajo que realiza la persona que se inicia en esta actividad. Corriendo en estas condiciones se incide positivamente en los sistemas cardiocirculatorio y respiratorio, que son los que en términos prácticos hacen que el oxígeno llegue a los músculos.

Resistencia anaeróbica

Si además de correr una distancia larga se desea hacerlo a buen ritmo, se tiene que aumentar la energía producida por los músculos, puesto que ya no basta sólo con el oxígeno.

Entonces los músculos empiezan a quemar el azúcar que contienen, lo que les permite obtener más energía, pero a cambio de producir una sustancia nociva, el ácido láctico, que lentamente intoxica y bloquea la acción muscular (fatiga anaeróbica). Para mejorar el rendimiento en estas condiciones es importante acostumbrar el músculo a trabajar en presencia de grandes cantidades de ácido láctico, objetivo que se logra entrenándose con series cortas a ritmo sostenido y con el corazón trabajando a un alto nivel.

La potencia

La potencia muscular representa *el esfuerzo máximo que el músculo puede realizar en pocas contracciones y durante pocos segundos*. La fuerza de un músculo está determinada principalmente por sus dimensiones. El valor máximo de fuerza contráctil oscila entre 3 y 4 kilos por centímetro cuadrado de sección. La fuerza máxima que un músculo puede realizar está condicionada también por su capacidad de retener y, por lo tanto, de transformar en energía un número elevado de proteínas. Esta capacidad puede ser mayor o menor según la acción de una hormona llamada testosterona, que determina un efecto anabólico produciendo un gran depósito de proteínas en todas las partes del cuerpo. El organismo humano produce testosterona en cantidades más o menos altas, según los esfuerzos que normalmente suele desarrollar. Por lo tanto, el entrenamiento estimula la producción de testosterona tanto en los hombres como en las mujeres. La cantidad producida por los primeros puede llegar a ser un 40 % mayor que en las segundas, hecho que en parte explica la mayor fuerza física del hombre, su carácter más agresivo y la carga competitiva más elevada. En cambio, en la mujer se da la presencia de estrógenos, de los que dependen los depósitos de grasa en el pecho, en los muslos y en el tejido subcutáneo, que actúan en detrimento del rendimiento atlético. Los estrógenos favorecen un carácter social más tranquilo y equilibrado. Volviendo a la fuerza física, podemos afirmar que entre dos hombres de igual hipertrofia muscular, tendrá más fuerza el que posea un nivel de testosterona más alto.

Sin embargo, no siempre la fuerza se aprovecha con eficacia, y, en el caso de que esto sucediera, no hay que descartar la posibilidad de lesiones. Por ejemplo, un levantador de talla mundial posee un cuádriceps con una sección aproximada de 150 cm, lo cual puede traducirse en unos 525 kg de fuerza. Pero si toda esta fuerza fuera aplicada en un tendón rotuliano que no fuera lo bastante robusto, podría romperse parcial o totalmente. La consecuencia es que un entrenamiento equilibrado no tiene que estar orientado solamente a la potenciación muscular, sino al fortalecimiento general de todas aquellas partes del cuerpo que intervienen directamente en el gesto deportivo. La potencia se mejora sobre todo trabajando con ejercicios específicos pensados para aumentar el volumen del músculo, para mejorar su elasticidad y para incrementar la capacidad de utilización, como carburante, del ácido adenosinatrifosfórico. Todos los ejercicios deben realizarse procurando ejercer la potencia máxima, pero dejando un tiempo de recuperación bastante largo.

La agilidad

La agilidad es una cualidad resultante de la interacción de varios factores: músculos flexibles y elásticos, que actúan por medio de articulaciones libres de impedimentos, y una preparación técnica del atleta que le *permite ejecutar los movimientos previstos para su actividad con la máxima naturalidad y soltura*. No obstante, si bien los músculos y las articulaciones se pueden entrenar con ejercicios de gimnasia, la técnica (es decir, la capacidad de ejecutar el gesto atlético de forma natural y perfectamente disociado) es mucho más difícil de adquirir si no se cuenta con el seguimiento de un entrenador. En la práctica, esto significa que trabajando solos, tomando como guía un buen manual, se pueden mejorar todas la capacidades relacionadas con la resistencia y la potencia, pero difícilmente se puede aprender a correr bien, con un estilo eficaz y coherente con la fisiología de cada uno.

Correr bien

Uno de los puntos de discusión que durante años ha enfrentado a técnicos de todo el mundo es la técnica de carrera. Fundamentalmente estaban los partidarios de un estilo «perfecto» que había que inculcar a toda persona que se calzaba unas zapatillas de atletismo, y los que defendían la posibilidad de que cada uno corra como pueda, procurando sacar el máximo partido de las características morfológicas personales. Entre estos dos extremos existen muchas otras opiniones, todas ellas sostenidas con convencimiento y, a veces, con obstinación.

Hoy en día la situación se ha desdramatizado un poco; los técnicos defensores de las teorías más dispares han ablandado sus posiciones y, con la complicidad de algunos atletas que a pesar de correr mal han logrado resultados excepcionales se está consolidando una concepción de la carrera a pie más funcional que estética.

Esto significa que *no hay una manera perfecta de correr, ni un estilo que sea totalmente válido*: cada distancia impone sus propias reglas y no existen dos atletas idénticos que realicen un mismo gesto con igual eficacia. Es más, ya ningún entrenador intenta que sus atletas corran con elegancia. Se busca lo sólido, y se trabaja sobre todo puliendo los errores que limitan el rendimiento. Todo esto no significa que se tenga que empezar renunciando a la estética, sino que simplemente esta se considera como algo secundario con respecto a los resultados.

Un consejo objetivo para las personas que quieren iniciarse es correr tranquilamente, sin obsesionarse con el estilo ni preocuparse por lo que digan los otros corredores, ya que normalmente estos se limitan a disfrutar de la actividad sin preocuparse del resto de la gente, y mucho menos de cómo corre.

Esto no significa que con un estilo técnicamente correcto no se pueda mejorar el rendimiento. Sin embargo, no es nada aconsejable ser autodidactas en este sentido: es mejor correr mal pero con naturalidad, que imponerse movimientos forzados cuya eficacia no ha sido aprobada por técnicos en la materia.

Con el objetivo de ayudar a los que se inician, a continuación daremos una lista de los errores más frecuentes que se suelen cometer, con los respectivos consejos para intentar paliarlos. El lector será, en definitiva, quien se valore, pero, si es posible, con lucidez y con la ayuda de un preparador.

Los errores

Correr con los pies abiertos

Muchas personas, incluyendo corredores, caminan con las puntas de los pies mirando hacia el exterior.

Al correr, normalmente, esta posición se corrige de forma parcial, ya que la propia sucesión de movimientos hace alinear de manera natural las puntas de los pies con la dirección del desplazamiento. Esto no evita que las piernas sigan quedando abiertas y al apoyar el talón en el suelo el defecto permanezca, cosa que puede comprobarse observando atentamente el desgaste de las zapatillas después de unas cuantas sesiones de entrenamiento. Este tipo de personas desgastan la parte externa del tacón.

Una ayuda bastante eficaz para corregir el defecto consiste en correr pisando la línea del arcén (o cualquier otra línea marcada en el suelo) procurando colocar los pies uno delante del otro sobre la misma línea.

Recordemos que uniendo con una línea ideal las marcas que dejan las puntas de las zapatillas en el momento del despegue se tendría que obtener una línea recta y no zigzagueante.

Correr de puntas

En algunos momentos los velocistas no apoyan el talón en el suelo, sobre todo en la fase de aceleración. Esto podría inducirnos a pensar que correr con las puntas de los pies es elegante y funcional.

En realidad, representa un defecto bastante grave, porque no permite amortiguar los impactos del pie contra el suelo, que repercuten negativamente en el pie y en la rodilla.

A ello tenemos que añadir que correr con las puntas no es un movimiento natural; es más, hay que obligarse a hacerlo. Para solucionar el problema hay que correr suelto y con normalidad, es decir, apoyando en el suelo primero el talón suavemente y luego impulsando con la punta.

Correr saltando

Al correr, todos los movimientos deben tener como objetivo la propulsión hacia delante del cuerpo. Por consiguiente, todo movimiento que desplace el cuerpo (y, por lo tanto, el centro de gravedad) lateral o verticalmente es negativo.

Con mucha frecuencia, los principiantes realizan un impulso muy vertical en lugar de hacerlo hacia delante, a veces incluso voluntariamente. Este defecto se aprecia claramente corriendo cerca de una pared o de una valla, y observando con el rabillo del ojo cómo se desplazan: si la cabeza sigue una línea horizontal significa que la técnica es buena, pero si se aprecian ondulaciones significa que el corredor tiende a saltar.

Este defecto se puede corregir esforzándose en correr con las piernas ligeramente flexionadas (aunque sin llegar a correr sentados), con ejercicios de *skiping*, corriendo en bajada con pasos muy cortos y rápidos, o incluso corriendo con un peso en la cabeza (una bolsita de arena, por ejemplo) e intentando que no se caiga.

Correr sentado

Es el defecto contrario al anterior, y consiste en correr con la cadera demasiado baja, de modo que en la fase de impulso la pierna no se extiende totalmente. Se puede remediar con ejercicios de potenciación de la musculatura extensora (véase más adelante el capítulo «Ejercicios de técnica de carrera»).

Correr con el tronco inclinado hacia delante

Correr con el tronco inclinado hacia delante constituye un error grave, porque dificulta la respiración. La corrección de este defecto puede trabajarse esforzándose en correr «sacando pecho», como un soldado en posición de «firmes». Al principio será una tortura, pero con el tiempo se convertirá en algo natural.

Correr con las piernas separadas

Ya hemos dicho anteriormente que los pies del corredor, cuando tocan el suelo, tienen que apoyarse suavemente con el talón y siguiendo siempre una misma línea. La persona con tendencia a separar excesivamente las piernas (defecto apreciable en las huellas dejadas en el suelo y en cualquier caso producto de correr demasiado rápido) puede corregir el defecto trabajando las series de *skiping*, efectuadas de modo que el avance sea lento pero con las piernas y con las rodillas tan altas como sea posible (véase más adelante el capítulo «Ejercicios de técnica»).

Correr levantando excesivamente las rodillas

Correr con las rodillas altas es típico de los velocistas, y no de los fondistas, que deben dosificar al máximo la energía. Este defecto tiende a minimizarse automáticamente al ir haciendo kilómetros (y en consecuencia al aumentar la fatiga).

Correr dando bandazos con el tronco

Durante la carrera el tronco no debe efectuar ningún movimiento lateral ni anteroposterior (*tilting*). Además, la cabeza tiene que permanecer quieta con respecto al cuerpo, que a su vez tiene que mantenerse en posición vertical para dejar que la caja torácica trabaje sin impedimentos. Los posibles defectos suelen estar causados por problemas musculares o por movimientos de brazos erróneos. La corrección pasa por una serie de ejercicios específicos de potenciación o por los mismos ejercicios que se describen inmediatamente a continuación para la persona que corre con el tronco torcido o braceando.

Correr con el tronco torcido

Es otro defecto típico del principiante. Los brazos, en lugar de moverse hacia delante y hacia atrás, se mueven siguiendo un plano transversal, provocando de esta manera la rotación del cuerpo.

El defecto se corrige con una gimnasia específica: corriendo con los brazos muy flexionados (con el ángulo del codo muy cerrado), moviéndolos con rapidez, al tiempo que el tronco se mueve hacia delante y hacia atrás, partiendo de una posición paralela al suelo hasta la vertical.

Correr braceando

Al correr, los brazos se tienen que mover solamente hacia delante y hacia atrás, con un movimiento del hombro elástico y suelto. Lo mismo ocurre con la articulación del brazo y el antebrazo, que no tiene que estar rígida pero sí con un ángulo constante. Las muñecas no tienen que estar relajadas, ni las manos tienen que quedar pendulantes.

La corrección de posibles defectos en este sentido se basa en ejercicios de movilidad del hombro y en el fortalecimiento de la musculatura de los brazos (véase el capítulo «La gimnasia»).

Correr controlando la respiración

Algunos corredores creen que forzando la respiración (respirando a un ritmo más intenso del que requiere el esfuerzo) se logra que llegue más oxígeno a los músculos y, por lo tanto, el rendimiento puede ser mayor. Pero en realidad esto no es cierto, porque:

— la respiración es un acto involuntario y, como tal, está controlado directamente por el tronco del encéfalo que, por muy obnubilado que se encuentre a causa del esfuerzo, sabe perfectamente qué cantidad de oxígeno debe mandar a los músculos;
— sería inútil hacer llegar más oxígeno a los músculos si estos últimos no son capaces de aprovecharlo y tienen que recurrir a los azúcares, con la consiguiente fatiga.

La consecuencia de ello es que cada persona tiene que respirar siguiendo el ritmo que le resulte más natural.

Ejemplos de entrenamientos programados

Nunca nos cansaremos de repetir que ningún libro o manual puede sustituir la experiencia de un entrenador. Los entrenamientos que sugerimos a continuación no son más que ejemplos indicativos de cómo se podría plantear una actividad deportiva de tipo recreativo. Estos programas no tienen en ningún caso la pretensión de preparar a un atleta para la competición y, por otro lado, deben ser interpretados en función de las propias posibilidades.

También se da por descontado que toda persona que esté interesada en programar un entrenamiento serio y continuado habrá ya completado la fase de aproximación a la carrera, de modo que ya podrá ser considerado un corredor medianamente experto, y estará preparado para un nivel de esfuerzo más alto que el que exige correr a ritmo constante y a poca velocidad.

Programas semanales de entrenamiento

Programa semanal basado en dos sesiones[1]

— primera sesión: carrera larga y lenta (60-90 minutos; 120 ppm);
— segunda sesión: carrera a ritmo medio (50-60 minutos; entre 120-140 ppm).

Programa semanal basado en tres sesiones[2]

— primera sesión: carrera larga, constante y lenta (60-90 minutos; 120 ppm);
— segunda sesión: *fartlek* (véase más adelante el capítulo correspondiente);
— tercera sesión: carrera larga y lenta (60-90 minutos; 120 ppm).

Programa semanal basado en cuatro sesiones[3]

— primera sesión: carrera larga, constante y lenta (60-90 minutos; 120 ppm);
— segunda sesión: *fartlek*;
— tercera sesión: carrera a ritmo medio (50-60 minutos; entre 120 y 150 ppm);
— cuarta sesión: sesión corta trabajando a ritmos rápidos (20 minutos de carrera a ritmo medio; 5-8 series de 100 metros en 14-16 segundos; 4-6 series de 400 metros en 70-76 segundos. Reposo total entre series; por último, 8 series de 1.000 metros en 4 minutos con un reposo de 3-5 minutos).

1. La separación entre sesiones deberá ser por lo menos de dos días.

2. Las sesiones tienen que alternarse, como mínimo, con un día de reposo.

3. Las sesiones estarán alternadas con algunos días de reposo.

Todas las sesiones de entrenamiento tienen que estar precedidas de una fase de calentamiento y, a partir de las tres sesiones semanales, el entrenamiento finalizará con unos minutos de trote suave y unos ejercicios de soltura para recuperarse del esfuerzo.

El descanso

El entrenamiento produce cansancio, es inevitable. Si se entrena mucho, se produce una gran fatiga, en el sentido que los músculos pierden potencia y, en muchos casos, la mente se niega a proseguir la actividad. En estas circunstancias, no hay nada peor que detenerse de golpe a descansar, sudando y posiblemente tumbándose en la hierba húmeda. Lo único que se lograría es no poder moverse o hacerlo con dolores musculares (mialgias) y articulares (artralgias). La forma correcta de acabar un entrenamiento es disminuyendo la actividad progresivamente, exactamente igual a como se había iniciado en la fase de calentamiento. Por lo tanto, se recupera corriendo muy lentamente por espacio de 10 minutos, controlando las sensaciones corporales. Una vez la respiración se haya normalizado y los músculos hayan recuperado un mínimo de vigor, entonces podremos disfrutar de un merecido descanso.

Ejercicios de técnica de carrera

Los ejercicios de técnica de carrera consisten en una serie de formas de correr pensadas para producir determinadas mejoras en un atleta, como por ejemplo la potenciación de las extremidades inferiores o superiores, o la corrección de defectos concretos.

Los ejercicios de técnica más conocidos son el *skiping*, que sirve para aumentar la agilidad de las piernas y los pies, y la carrera con saltos, muy útil para potenciar los músculos de las piernas que intervienen en la fase de impulso. Otros ejercicios son las series con chaleco lastrado (con 5 o 10 kg de plomo, o con brazaletes de 1 o 2 kg) y las progresiones, que también pueden sustituirse por series cortas (60-80 metros) a realizar en el menor tiempo posible. En este caso, el esfuerzo muscular es máximo, así como el trabajo cardíaco. Sin embargo, estos ejercicios no son

El skiping

Dos momentos característicos de la carrera a saltos

útiles para potenciar el sistema respiratorio.

También para potenciar las extremidades inferiores, se puede trabajar con saltos partiendo de una media sentadilla. Este es un ejercicio duro, pero que puede hacerse más arduo manteniendo las manos entrelazadas detrás de la nuca y los codos abiertos, o con las manos detrás de la espalda. Otro ejercicio muy beneficioso consiste en correr lateralmente cruzando los pies a cada paso: el ejercicio se realiza de izquierda a derecha, y de derecha a izquierda, procurando correr tan rápido como se pueda. Para aumentar el ángulo de abertura longitudinal de la cadera se puede caminar dando pasos de gigante, finalizando cada paso con el cuerpo apoyado en la pierna anterior flexionada, y manteniendo la posterior completamente extendida.

Conviene precisar que existen muchos ejercicios de técnica de carrera, todos

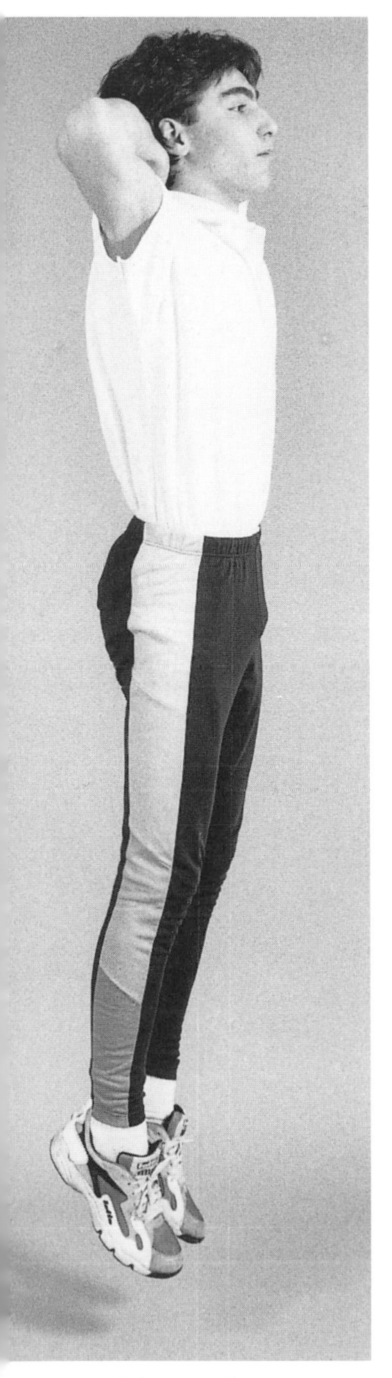

Saltos con los pies juntos, codos abiertos y manos en la nuca; obsérvese que las puntas de los pies están bien extendidas

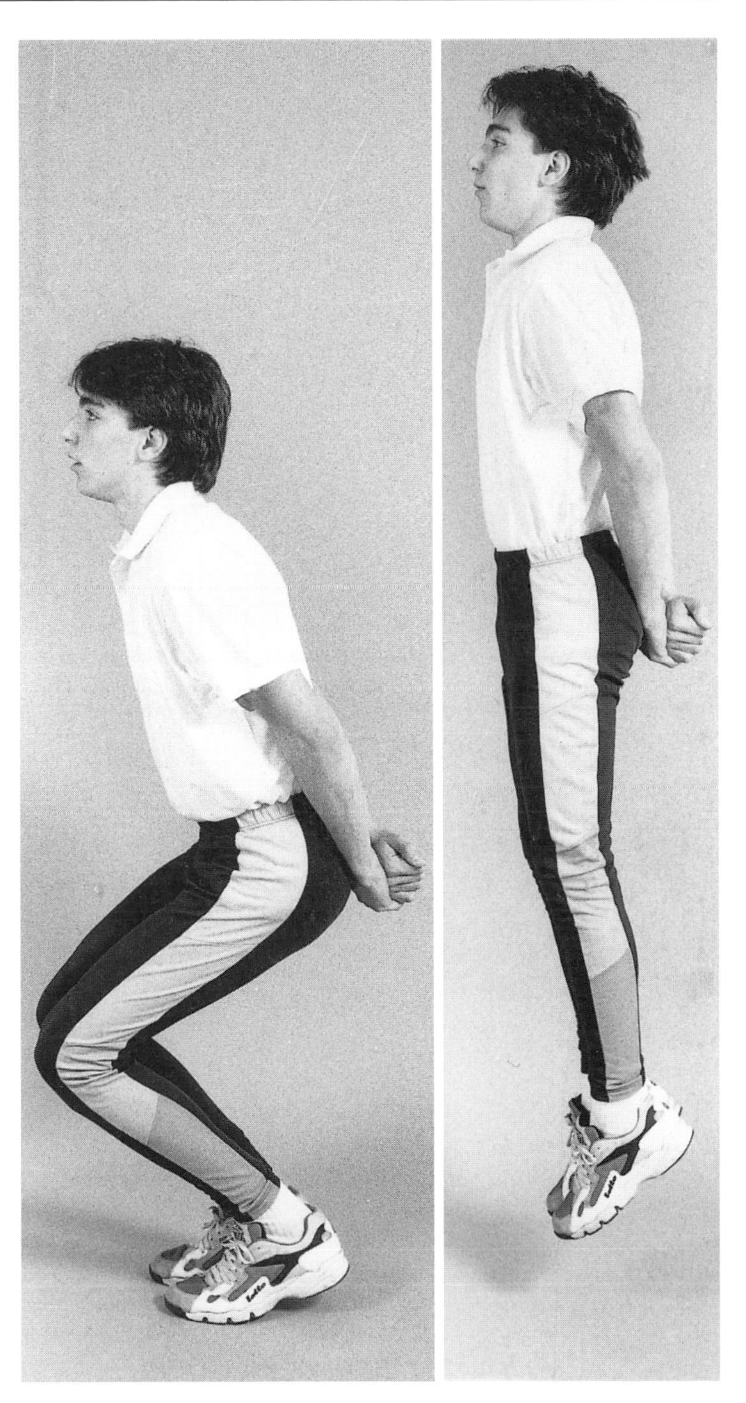

Saltos con los pies juntos y las manos detrás de la cadera. Es importante que en el salto las piernas alcancen la máxima extensión

Carrera lateral: un ejercicio excelente para mejorar la coordinación de movimientos

Pasos de gigante con flexión final sobre el pie; en la fase final hay que apoyarse completamente en el pie de delante

ellos con objetivos precisos, aunque esto no significa que tengan que integrarse en la preparación de todos los corredores. La utilización de estos ejercicios no tiene que dejarse a la intuición personal, y sólo tienen sentido cuando, superada la primera fase que tiene como objetivo correr para buscar el bienestar psíquico-físico, se plantea el atletismo como una actividad competitiva, aunque sólo sea a nivel amateur.

El *fartlek*

Fartlek es un término escandinavo que significa «juego veloz». Efectivamente, se trata de un entrenamiento muy divertido, sobre todo si se practica en un marco natural.

Consiste en una carrera a ritmos variados, en los que se alternan ritmos lentos (sobre las 120 ppm), ritmos medios o carrera en cuesta, que requieren un mayor esfuerzo cardíaco (unas 140 ppm), y un trabajo físico de más entidad (durante el cual se pueden alcanzar las 160 ppm), aunque sin llegar al límite (180 ppm o más).

Ejemplo de entrenamiento

La tabla de la página siguiente debe interpretarse como un ejemplo de cómo se puede estructurar un trabajo tipo. La tabla que podemos ver a continuación puede adaptarse al gusto de cada uno, pero sin alterar el principio básico: realizar un trabajo diferenciado que alterne situaciones de esfuerzo muy diferentes, pero sin llegar al rendimiento máximo.

Recordemos que la carrera lenta y prolongada sirve fundamentalmente para fortalecer el aparato locomotor y para acostumbrar al atleta a una serie de reacciones mentales que sólo se pueden consolidar con la experiencia y el tiempo, y que son necesarias para superar los momentos de crisis. Corriendo suavemente los músculos trabajan sin producir ácido láctico y sin aprovechar al máximo la capacidad de consumo de oxígeno.

Corriendo a un ritmo más elevado (entre 120 y 140 ppm) se empieza a forzar el músculo, se le acostumbra a consumir mejor y en mayor cantidad el oxígeno que le aporta la sangre, y se sube el umbral aeróbico, del cual hemos hablado en capítulos precedentes. Además, trabajando a un ritmo más elevado, tiene lugar una pequeña producción de ácido láctico que el cuerpo tiende a eliminar en tiempo real.

En consecuencia, los músculos se acostumbran a trabajar en presencia de ácido láctico y logran así notar menos los síntomas de fatiga producidos por este; al mismo tiempo, se consigue aumentar la capacidad del cuerpo de reabsorber este elemento.

Por último, corriendo rápido (a más de 160 ppm) se potencia el sistema muscular, que se acostumbra a trabajar en presencia de grandes cantidades de ácido láctico.

En definitiva, el *fartlek* es una carrera que alterna de modo homogéneo y equilibrado diversos factores que intervienen en el rendimiento global del atleta. La distribución de las dificultades a lo largo del recorrido (subidas, bajadas, escaleras, etc.) no debería ser improvisada, sino determinada por un programa de entrenamiento específico pensado para mejorar los inevitables puntos débiles que cada uno podamos tener.

Pulsaciones por minuto (ppm)	120	140	120	160	120	140	120	160	120	140	120	160
Tiempos de trabajo y reposo (minutos)	7	5	7	3	7	5	7	3	7	5	7	3

Nota: en el *fartlek*, las pulsaciones deberían medirse con un esfigmógrafo, y los tiempos tendrían que ser establecidos con un cronómetro. Como se puede observar, en la tabla se alternan siempre siete minutos de reposo con cinco o tres minutos de trabajo. Esta distribución tiene que ser cambiada si el entrenamiento sirve para alcanzar objetivos específicos de potenciación.

El *interval training*

Se trata de un *fartlek* realizado en distancias cortas y, por lo tanto, caracterizado por cambios de ritmo muy frecuentes seguidos de breves pausas de reposo (nunca superan los 90 segundos), que finalizan cuando el atleta baja de las 120 pulsaciones por minuto.

A diferencia del *fartlek*, el *interval training* hace trabajar el corazón a su nivel máximo durante espacios de tiempo largos. Este tipo de entrenamiento requiere la presencia de un entrenador. Es un ejercicio fundamentalmente de potenciación, y acostumbra los músculos a trabajar en presencia de grandes cantidades de ácido láctico, circunstancia que se da, por ejemplo, en las carreras de velocidad prolongadas, como los 400 o los 800 metros. Debemos recordar, como anécdota, que este entrenamiento fue inventado en la universidad de Friburg, razón por la cual también recibe el nombre de entrenamiento «friburgués».

La tabla que presentamos a continuación puede ser utilizada como referencia para quien desee probar este tipo de entrenamiento. Por nuestra parte, insistimos nuevamente en el hecho que el *interval training* tiene que ser realizado en presencia de un entrenador. El ciclo de la tabla tiene que repetirse por lo menos 5 veces.

Pulsaciones por minuto (ppm)	120	140	120	160	120	180	120	160	120	140	120
Tiempos de trabajo y reposo (en segundos)	90	30	90	30	90	30	90	30	90	30	90

La gimnasia

A lo largo del texto nos hemos referido en repetidas ocasiones a los ejercicios de potenciación o de movilización, dando a entender que se trata de una serie de ejercicios de gimnasia, es decir, que no se efectúan corriendo, sino parado, y tienen unos objetivos concretos, como la mejora de un movimiento o la corrección de defectos congénitos.

En este capítulo veremos los ejercicios más frecuentes que realiza el corredor, y explicaremos su ejecución y los beneficios que producen. Obviamente todos los ejercicios genéricos de movilización no producen daños al organismo y, por lo tanto, todo el mundo puede realizarlos sin necesidad de tomar ninguna precaución especial.

En cambio, los ejercicios de *stretching* y de potenciación es conveniente que se lleven a cabo bajo el control de un entrenador, para evitar perder tiempo realizándolos incorrectamente y para evitar también que esta realización incorrecta de los ejercicios dé lugar a problemas más graves que los que se querían resolver. También conviene saber que los ejercicios de gimnasia, estudiados por técnicos de todo el mundo, son muy numerosos.

Nosotros explicaremos los más básicos, los más fáciles de ejecutar, los más conocidos y, con toda certeza, los más eficaces. Por último, debemos recordar que los ejercicios de gimnasia se llevan a cabo antes del entrenamiento e inmediatamente después del calentamiento, y que hay que imprimirles siempre un poco de ritmo.

Los ejercicios de movilización

Por comodidad los hemos dividido en cuatro grupos:

— ejercicios de movilización del tronco;
— ejercicios de movilización del cuello;
— ejercicios de movilización de los hombros;
— ejercicios de movilización de la cadera.

Movilización del tronco

Los ejercicios de movilización del tronco son fundamentalmente cuatro:

— flexiones hacia delante con piernas juntas y extendidas;
— flexiones laterales;
— torsiones
— ejercicios de amplitud torácica.

Las *flexiones* tienen que realizarse siempre con las *piernas separadas y extendidas* (el ejercicio es incorrecto si se doblan las rodillas), con los dedos entrelazados en la nuca y los codos bien abiertos, paralelos a los hombros. Es un ejercicio muy simple, puesto que el movimiento a realizar es la flexión del tronco hacia delante hasta alcanzar la flexión máxima.

Las *torsiones* se realizan con las manos y los codos en la misma posición que en el ejercicio anterior, las piernas separadas y extendidas, y con la *cadera inmóvil.*

El ejercicio consiste en rotar los hombros hacia la derecha y hacia la izquierda alternativamente, girando también la frente pero manteniendo en todo momento la cadera inmóvil.

Secuencia de ejercicios de movilización del tronco; en este caso, flexiones longitudinales

Una forma de efectuar correctamente todos los ejercicios de movilización del tronco sería la que pasamos a describir a continuación: se dividen las flexiones y torsiones en grupos de 10, y se van alternando los ejercicios, repitiendo cada serie tres veces.

Los ejercicios de *amplitud de tórax* se realizan partiendo de una posición con las *piernas juntas*, el pecho hacia fuera,

Flexiones laterales del tronco; las piernas están completamente extendidas

Torsiones del tronco; la cadera se mantiene inmóvil

la cabeza alta y los brazos estirados en cruz.

Seguidamente, se pasa a empujar con los brazos tan atrás como sea posible, manteniendo las palmas mirando hacia delante. Al mismo tiempo que se abren los brazos habrá que intentar levantarse sobre las puntas de los pies.

Abertura del tórax; los pies se apoyan sobre las puntas

Movilización del cuello

Los ejercicios de movilización del cuello son cuatro:

— flexiones longitudinales;
— flexiones laterales;
— rotaciones axiales;
— rotaciones completas.

Las *flexiones longitudinales y laterales* se realizan moviendo la cabeza hacia delante y hacia atrás, y hacia ambos lados, respectivamente. Los hombros tienen que mantenerse inmóviles y en los movimientos se buscará forzar el ángulo de trabajo del cuello.

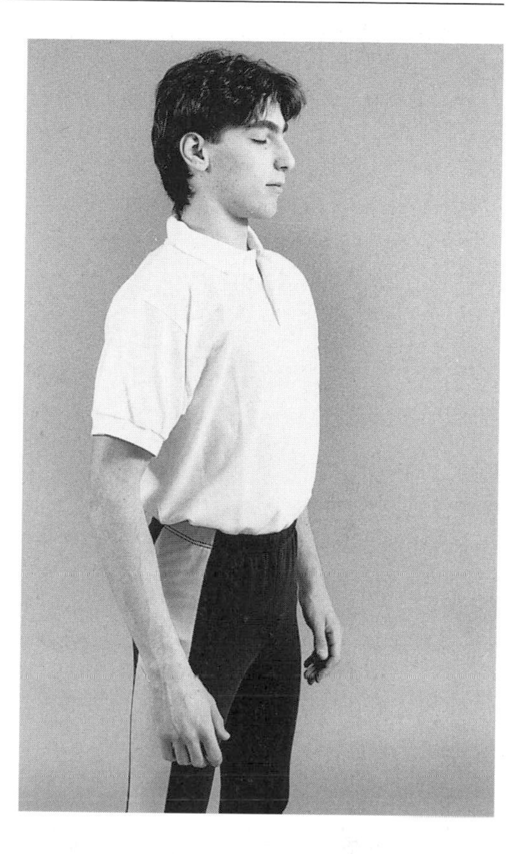

Flexiones longitudinales del cuello

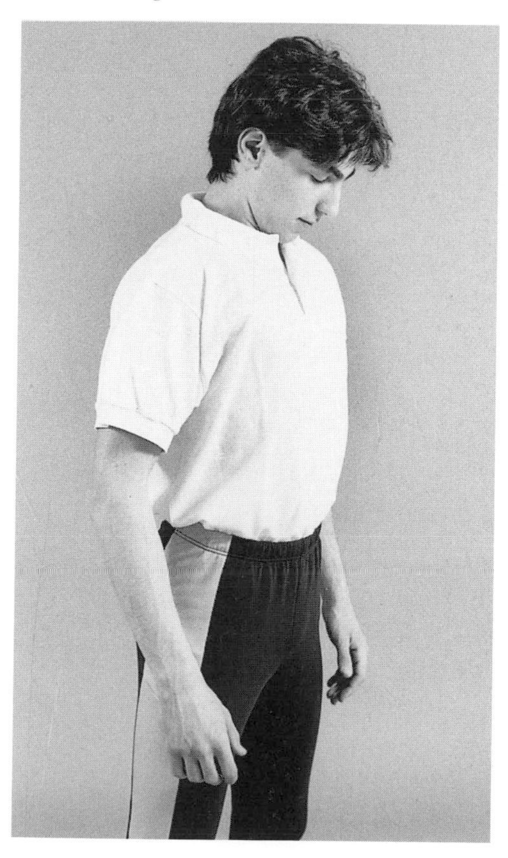

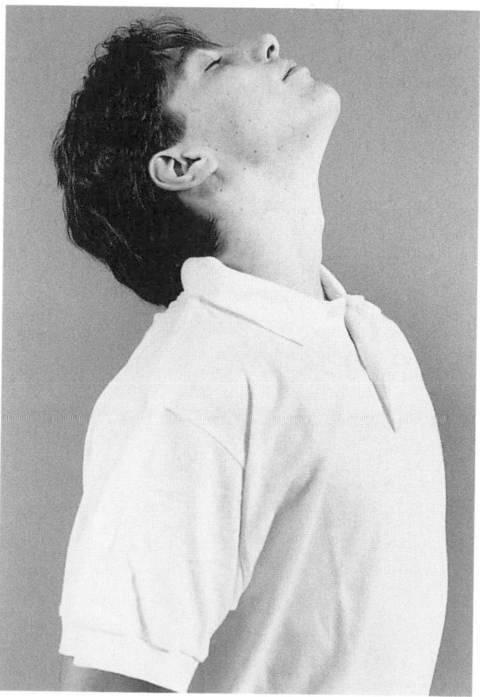

Las *rotaciones axiales* se realizan rotando la cabeza hacia la derecha y hacia la izquierda sobre el eje del cuello, que se mantiene bien extendido. Las *rotaciones completas* son giros de 360° en ambos sentidos, evitando en la medida de lo posible la contracción de los músculos del cuello.

Es importante señalar que todos estos ejercicios pueden provocar una leve sensación de mareo si se efectúan durante demasiado tiempo o a una velocidad excesiva.

Flexiones laterales del cuello

El problema se solventa fácilmente si se trabaja despacio y con los ojos cerrados, con una buena separación de piernas y las manos en la cintura. Dado que no se trata de ejercicios cuya ejecución implique esfuerzos musculares, es aconsejable buscar el máximo de relajación, sentándose en el suelo si es necesario.

La persona que tenga problemas de cervicales deberá pedir consejo al médico antes de integrar este tipo de ejercicios a sus sesiones de entrenamiento.

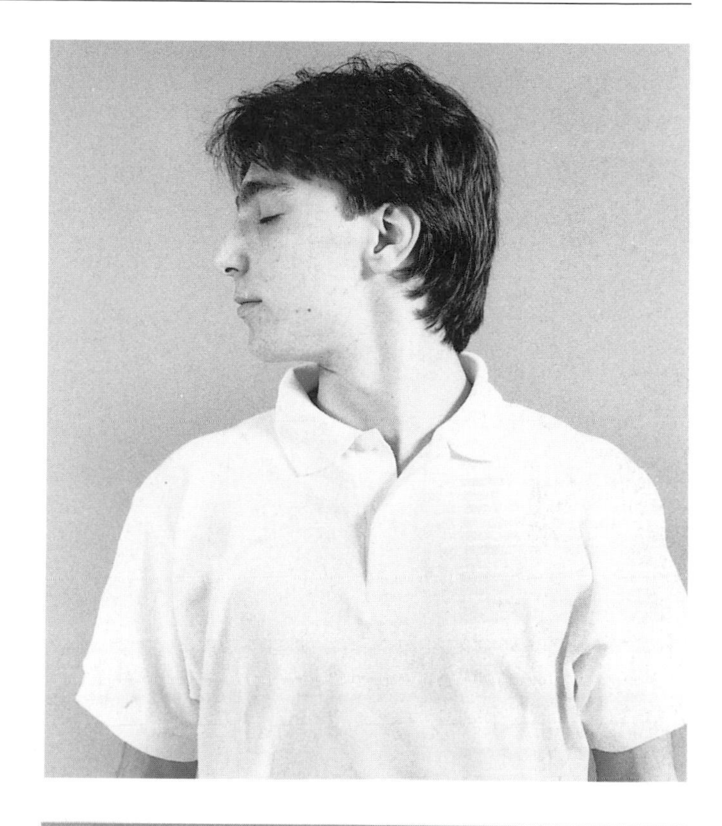

Flexiones axiales del cuello

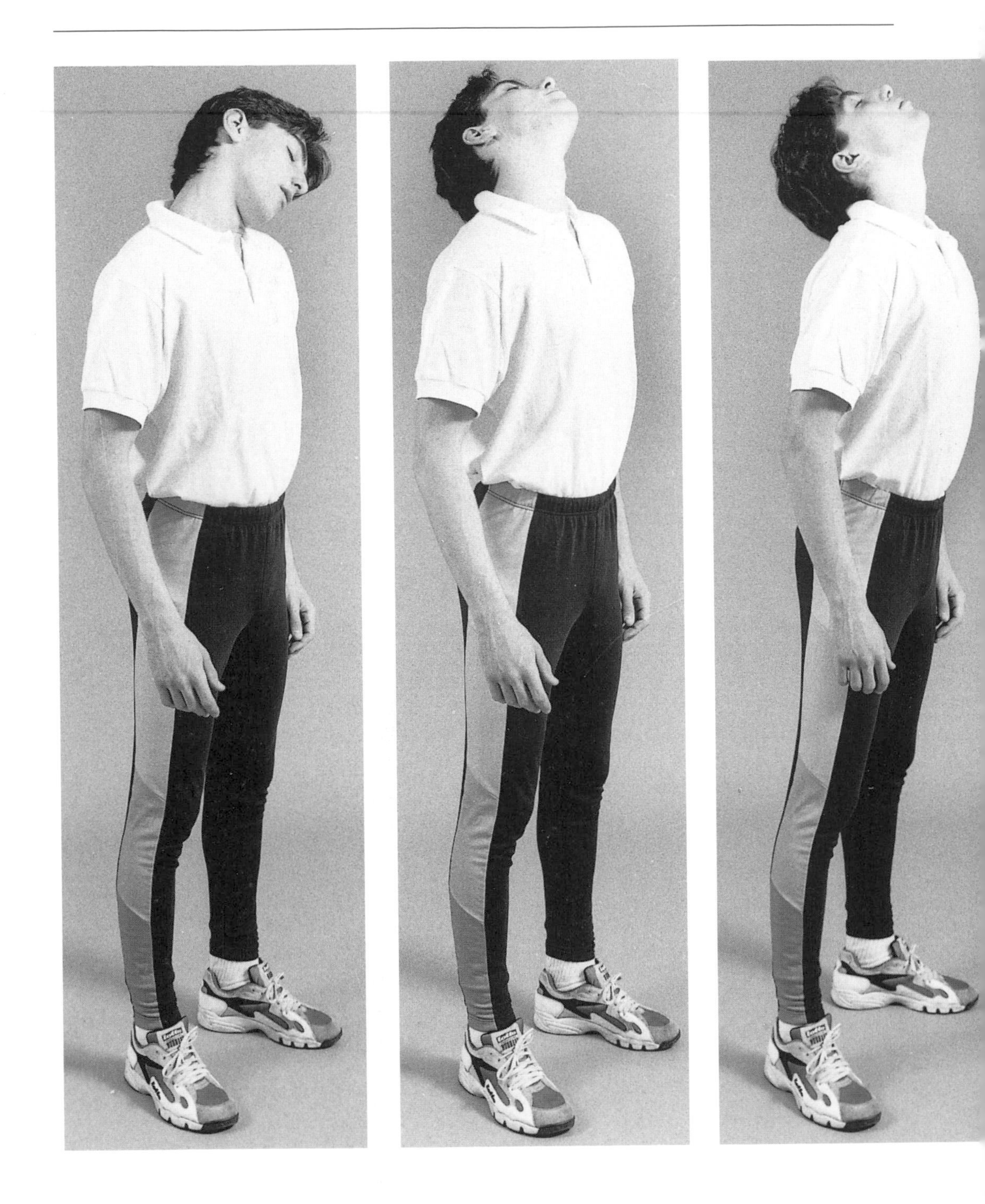

Rotaciones del cuello

Movilización de los hombros

Los ejercicios de movilización de hombros fundamentalmente son tres:

— los ejercicios de amplitud de tórax;
— las oscilaciones alternativas de brazos hacia delante y hacia atrás;
— las rotaciones disociadas de brazos.

Los *ejercicios de amplitud de tórax* ya los hemos visto anteriormente.

Las *oscilaciones de brazos* hacia delante y hacia atrás se hacen siguiendo un plano perpendicular al de los hombros. El ejercicio se realiza con los *brazos extendidos,* de forma que cuando el brazo se encuentre en posición vertical, la palma de la mano esté mirando hacia delante.

Movilización de los hombros: oscilaciones longitudinales

Las *rotaciones disociadas* son rotaciones completas de los brazos, pero girando un brazo hacia delante y otro hacia atrás. En la práctica, partiendo de una posición de reposo con los brazos extendidos a los lados del cuerpo, se levanta un brazo hacia delante y otro hacia atrás, hasta que ambos coincidan por encima de la cabeza. La rotación termina cuando los brazos se encuentran nuevamente en posición de reposo, momento en que se reanuda el ejercicio, pero invirtiendo los sentidos.

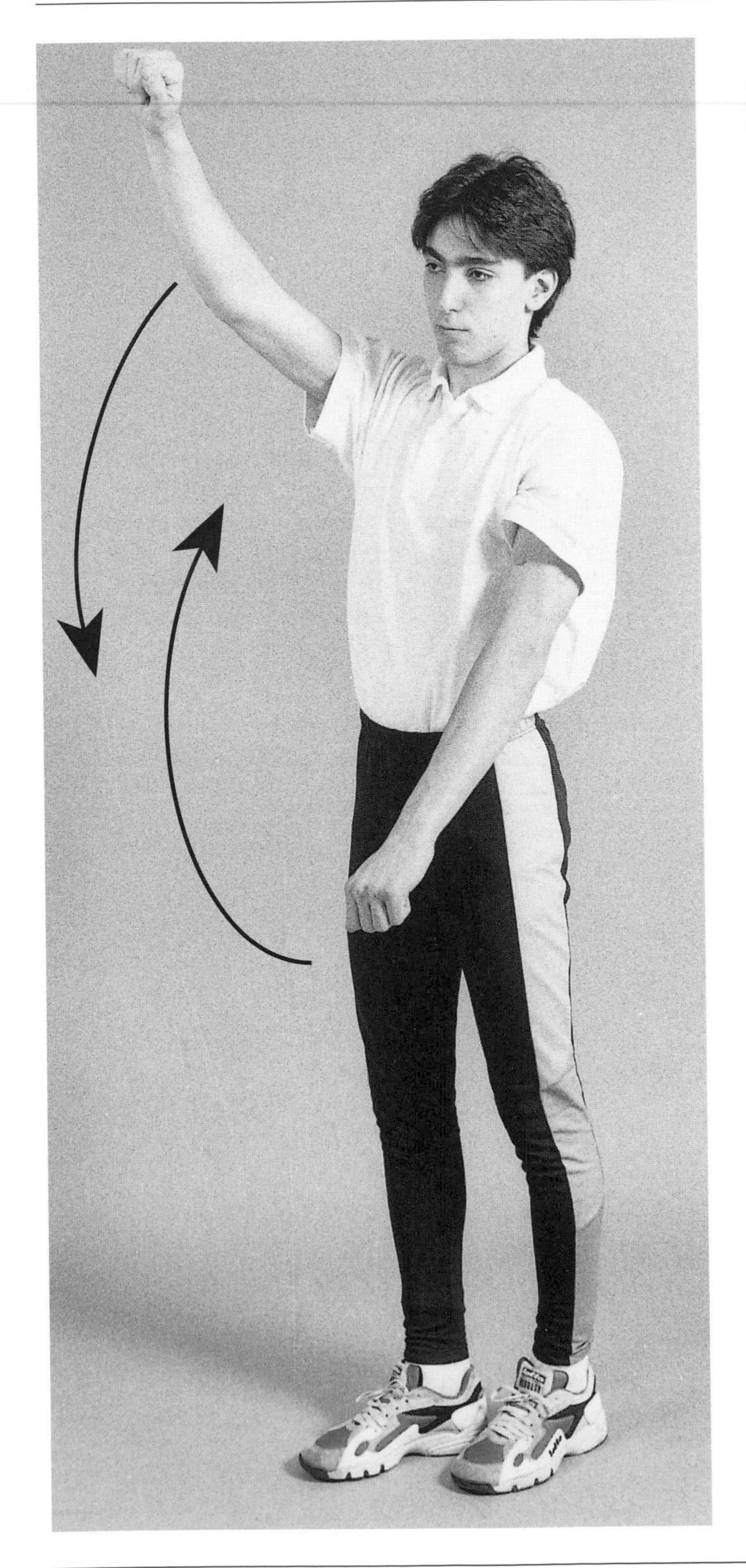

Movilización de los hombros: rotaciones disociadas

Movilización de la cadera

Los ejercicios de movilización de la cadera son básicamente dos:

— oscilaciones longitudinales de piernas;
— oscilaciones laterales de piernas.

Ambos se realizan *con la espalda apoyada en el suelo* y las piernas extendidas verticalmente. Para que la posición sea más cómoda, se pueden colocar las manos en los riñones, apoyando los codos en el suelo, de manera que se cree una base de sustentación. Partiendo de esta posición se hacen oscilar alternativamente las piernas hacia delante, hacia atrás y hacia ambos lados, intentando forzar siempre la abertura.

Oscilaciones laterales de las piernas con la espalda en el suelo

Paso en cuclillas

Otros ejercicios de movilización de las caderas pueden ser efectuados caminando con pasos muy largos e intentando sentarse a cada paso sobre el pie que avanza.

El *stretching*

Los ejercicios de stretching *sirven para mejorar la elasticidad de los músculos y de los tendones.* A diferencia de los ejercicios de movilización, que deben ejecutarse con un ritmo rápido, se realizan con una cierta lentitud y sin llegar a experimentar nunca dolor.

Por esta razón el *stretching* lo podemos efectuar en casa, sentados en una alfombra, mientras miramos la televisión.

La técnica del *stretching*, que ha estado muy de moda en Estados Unidos, ha sido objeto de estudios que han ideado una larga serie de ejercicios, cada uno de los cuales sirve para estirar un músculo concreto.

En este apartado veremos solamente tres ejercicios, muy simples, pero muy útiles para prevenir molestias en el tendón de Aquiles y en la rodilla. También propondremos dos ejercicios más para quienes tengan problemas de rigidez de cadera.

1. Nos colocamos a un metro aproximadamente de la pared, y nos apoyamos en esta con ambas manos, *manteniendo las rodillas sin flexionar.* A continuación se flexiona una rodilla y se carga el peso del cuerpo en la otra, que tendrá el talón bien pegado al suelo, hasta notar el estiramiento de los gemelos.

La tensión se puede incrementar con una flexión de brazos, de modo que el rostro del atleta se acerque a la pared. Se mantiene la posición durante unos segundos, y se vuelve a la posición de salida. El ejercicio se repite unas veinte veces.

Estiramiento de los gemelos contra la pared: la pierna que trabaja es la que está extendida

2. Nos colocamos delante de un soporte (una silla, barandilla, etc.) y apoyamos un pie encima. La altura del pie debe ser ligeramente inferior a la de la cadera. La otra pierna tiene que estar extendida, sin doblar demasiado la rodilla (sólo se admite una ligera flexión). Flexionamos el tronco hasta agarrar el pie o notar una sensación de estiramiento en los músculos de la pierna o de la espalda. La posición se mantiene por espacio de 20 segundos.

Repetimos el ejercicio unas diez veces con cada pierna.

Estiramiento del muslo y los gemelos utilizando una silla

3. Nos sentamos en el suelo con la planta de uno de los pies en contacto con la otra pierna, que mantendremos bien extendida. A continuación, sujetamos con las manos la punta del pie y desplazamos el tronco hacia delante hasta notar una clara sensación de estiramiento en la pierna y en la espalda. No hay que olvidar que la pierna flexionada tiene que estar en la medida de lo posible en contacto con el suelo.

La posición se mantiene algunos segundos antes de repetir el ejercicio con la otra pierna.

Estiramiento del muslo y los gemelos en el suelo

4. Nos sentamos en el suelo con las piernas extendidas y doblamos una, hasta tocar el glúteo con el pie. Sujetamos el pie del lado opuesto con una mano, mientras apoyamos la otra encima de la rodilla para presionarla suavemente contra el suelo. Flexionamos el tronco hacia el pie hasta notar la sensación de estiramiento en la espalda y en la parte posterior a la pierna. La posición se mantiene algunos segundos antes de repetir el ejercicio con la otra pierna.

Ejercicio del vallista

5. Nos sentamos con los pies unidos por las plantas, apoyamos los codos en los muslos y empujamos las rodillas hacia abajo.

Posición del indio: se empujan las rodilla sen dirección al suelo

Los ejercicios de potenciación

Los ejercicios de potenciación tienen que centrarse en los músculos que, siendo más débiles que los otros, con su ineficacia comprometen el rendimiento o el estilo. Un corredor no debe convertirse en un culturista, por lo cual hay que trabajar las pesas con gran precaución. Precisamente por esta razón y para no tener que dar una lista interminable de consejos genéricos, no propondremos ningún ejemplo al respecto. Si fuera necesario, el entrenador sería quien determinaría el método de trabajo más indicado para cada atleta.

La maratón

No hay un solo corredor en el mundo que no sueñe con participar y finalizar una maratón. La distancia olímpica representa la máxima ambición para todo aquel que disfrute corriendo, independientemente de la marca que pretenda conseguir. Las personas que no corren no pueden entender la fascinación que ejercen los 42 kilómetros, ni tampoco están en condiciones de apreciar la belleza de tal esfuerzo. La prueba de maratón, más que una carrera contra el tiempo y contra los adversarios, es una competición contra uno mismo, una especie de banco de pruebas para comprobar la propia preparación, la capacidad de adaptación al esfuerzo y la voluntad. No estamos exagerando: 42 kilómetros son muchos kilómetros, ya sea corriendo o caminando, y no sólo por el esfuerzo físico que representa, sino sobre todo por el esfuerzo mental.

El contrincante a batir es un pensamiento que asoma generalmente a partir de los veinte kilómetros y que se va haciendo más insistente a medida que las energías se van agotando: «Basta. No lo conseguiré nunca. Me paro». A veces, estas ideas van acompañadas de una serie de elucubraciones acerca de la inutilidad de tal esfuerzo, sobre su posible peligrosidad, sobre la estupidez de la situación, casi como si el cerebro, al no querer dar directamente la orden de detenerse, quisiera hacerlo utilizando todo tipo de subterfugios. Este componente psicológico hace que la maratón no pueda afrontarse sin una buena preparación, que vaya más allá de la mera preparación atlética. Por esta razón, no creemos que sea una prueba aconsejable para las personas que corren desde hace poco tiempo y que todavía no tienen experiencia en largas distancias.

Eso no significa que no se pueda pensar en la posibilidad de correr una maratón. Si la idea nos resulta sugerente, no hay nada de malo en marcarnos esto como objetivo personal. Ahora bien, habrá que entrenar sin perder el mundo de vista y sin considerarse un experto simplemente porque se ha leído un libro. En este caso, un entrenador es indispensable.

Correr, correr y correr

La programación de un entrenamiento que permita participar en carreras de larga distancia sin pretensiones competitivas no es difícil: *consiste en correr frecuentemente y durante mucho tiempo, cada vez más tiempo.* El mejor entrenamiento consiste en alargar progresivamente las sesiones, intensificando tanto la cantidad como la duración de las mismas. Lo ideal es correr lento en días alternos, con un kilometraje entre 15 y 20 kilómetros. Este trabajo tiene que iniciarse al menos cuatro meses antes de la fecha de la prueba, y tiene que intensificarse un par de meses antes aumentando la distancia hasta los 25-30 kilómetros.

Un mes antes de la maratón se deberá efectuar un test de 35 kilómetros, que repetiremos 10 días antes de la carrera. Con este tipo de entrenamiento no batiremos ningún récord, pero tendremos garantizada una feliz conclusión de la carrera, en unas condiciones físicas aceptables. A continuación veremos algunos consejos para mejorar el rendimiento sin aumentar la fatiga.

El ritmo

La maratón es una prueba que dura entre tres horas y media (nos referimos a los aficionados, naturalmente) y cuatro. Para saber previamente cuánto tiempo invertiremos en llegar a la meta y, sobre todo, para no dejarnos sorprender por el ritmo de otros corredores, es importante calcular nuestra velocidad de carrera. Para ello tendremos que cronometrar unas distancias relativamente cortas (2-3 km como máximo) a ritmo de carrera, intentando mantener una velocidad continua. Lo ideal sería disponer de un esfigmógrafo, que también podemos usar en carrera para comprobar que llevamos el ritmo deseado.

Aceleración y disminución de la velocidad

Una vez hayamos encontrado el ritmo adecuado, evitaremos los cambios de velocidad, ya sea aumentándola o disminuyéndola. Aunque nos sintamos bien, es conveniente no acelerar. Sólo al llegar a los últimos kilómetros podremos permitirnos alargar el paso para llegar hasta la meta. Si, por el contrario, nuestro cuerpo acusa la fatiga, tendremos que esforzarnos en resistir: seguramente si bajáramos el ritmo obtendríamos un ligero alivio, pero podría ocurrir que al cabo de pocos minutos tampoco pudiéramos aguantar. Esta situación sería un claro signo de que la fatiga no tiene orígenes físicos, sino mentales y, por lo tanto, no tiene que combatirse con la relajación, sino perseverando en el esfuerzo.

Los acompañantes

Cuando el objetivo de la maratón no es estrictamente competitivo, existe la posibilidad de que el atleta cuente con la compañía de alguien que le siga en bicicleta. Conviene que esta persona no se coloque al lado hasta pasados algunos kilómetros, cuando el pelotón se haya estirado suficientemente, para evitar molestias a los demás corredores. El acompañante tampoco podrá llegar hasta la meta. En ningún caso nos haremos seguir por personas que se desplacen en moto o ciclomotor, porque el humo podría provocar las quejas de los demás corredores. Si el acompañante sólo tiene la posibilidad de moverse en automóvil, la fórmula preferible será quedar puntualmente cada 5 kilómetros.

La indumentaria

La maratón es una prueba larga, y puede ocurrir de todo, incluso que cambie el tiempo. Por lo tanto, es importante que la asistencia del acompañante no se limite al avituallamiento sólido y líquido, sino también que lleve ropa de recambio, un chubasquero y un tubo de vaselina, útil para las rozaduras o para un posible masaje en caso de calambre.

Los avituallamientos

Sería impensable correr una maratón sin beber absolutamente nada en el transcurso de esta. Nadie lo hace, ni tan siquiera los atletas de élite. Una alimentación correcta asegura la cantidad de energía necesaria para afrontar el esfuerzo sin problemas, pero no se puede olvidar en ningún momento que corriendo se suda y que, por lo tanto, hay que recuperar todas esas sales minerales que se pierden con bebidas adecuadas, que evitaremos tomar excesivamente frías.

El maratón es una prueba que dura entre 3 y 4 horas. Hay que empezar bien, con un ritmo adecuado a la distancia y a las capacidades de cada corredor ©Fuse/Thinkstock

En el maratón hay que evitar los cambios de ritmo ©istockphoto/Thinkstock

La fatiga y el descanso

Correr produce fatiga, especialmente si se corre un trayecto largo, como sucede en la maratón. Después del esfuerzo se necesita un periodo de descanso, que no debe ser ni demasiado largo ni excesivamente corto, en función del ejercicio realizado. En realidad existen distintos tipos de fatiga, y cada tipo requiere un tiempo concreto de recuperación. Descansar demasiado implica perder parte de los beneficios logrados con el entrenamiento, mientras que descansar demasiado poco significa someter el organismo a un estado de estrés (superentrenamiento).

El corredor aficionado suele desarrollar una actividad física de tipo aeróbico, y por consiguiente no acumula toxinas en los músculos. Por lo tanto, después de un esfuerzo prolongado los músculos estarán en mejores condiciones después de unos minutos de reposo, naturalmente siempre y cuando el esfuerzo en cuestión no haya provocado un agotamiento completo de las reservas de glucógeno. En tal caso, el reposo tiene que durar al menos 24 horas, y debe combinarse con una dieta apropiada para recuperar el nivel de glucógeno de los músculos.

En cambio, si la actividad realizada es anaeróbica, como por ejemplo la carrera rápida, la duración del periodo de recuperación tiene que ser por lo menos de 48 horas, para dar tiempo a que los músculos eliminen completamente el ácido láctico que hayan acumulado. Es fundamental no confundir la fatiga con la hipertermia (es decir, con el aumento de temperatura del cuerpo; en tal caso hay que detenerse y descansar media hora aproximadamente en un lugar fresco), con la hipotermia (iremos inmediatamente a un lugar donde podamos calentarnos y quitarnos de encima la ropa mojada), o con la deshidratación, es decir, la pérdida de líquidos (el reposo deberá durar varias horas, y se tomará la cantidad de bebida necesaria, que no sea alcohólica ni esté helada).

A este respecto conviene recordar que corriendo se suda, y que es imprescindible recuperar el agua que se pierde. No debemos tener ningún miedo a beber. El agua es el elemento más natural, pero también hay otras bebidas, como por ejemplo las bebidas «isotónicas», que aportan las sales minerales que el cuerpo pierde durante el ejercicio físico. Acerca de este tipo de bebidas aconsejamos ir con cierta precaución: no nos harán ningún daño, pero conviene escoger las marcas más conocidas, para asegurar que llevan todo lo que dicen llevar.

Las crisis

Tal como hemos visto anteriormente, existen varios tipos de fatiga, cada uno de los cuales tiene una serie de consecuencias de mayor o menor gravedad. En este apartado detallaremos los posibles motivos que puedan provocar una crisis al corredor, y daremos el remedio correspondiente.

• *Crisis por agotamiento del glucógeno muscular:* en la práctica significa que se ha acabado el combustible; lo único que se puede hacer es detenerse un momento y comer, preferiblemente alimentos ricos en azúcares.

• *Crisis por hipertermia:* durante un esfuerzo físico la temperatura del cuerpo aumenta. Si aumenta excesivamente aparecen una serie de problemas. Hay que reaccionar rápidamente quitándose ropa o echándose agua fresca (no helada) con esponjas.

• *Crisis por hipotermia:* los músculos se bloquean a causa del frío; el atleta tiene que abrigarse y, en los casos más graves, buscar un local en donde la temperatura sea cálida. Unos ejercicios de gimnasia suaves, masajes con aceite alcanforado o un buen baño pueden servir de ayuda.

• *Crisis por deshidratación:* se produce por falta de líquido; hay que beber pausadamente, pero nunca bebidas frías.

• *Crisis por carencia de sales minerales:* puede ocurrir si se suda mucho y se bebe sólo agua. Son las crisis más frecuentes en los fondistas.

• *Crisis por hipoglucemia:* falta de glucosa en la sangre; la mejor solución es la retirada de la carrera.

• *Crisis por ácido láctico:* es la más habitual cuando se realiza un ejercicio anaeróbico. Se deberá reducir el esfuerzo para permitir que el músculo reabsorba el ácido láctico, aunque esta reacción puede necesitar bastante tiempo.

Es posible que, después de ver los distintos problemas que se pueden plantear en el curso de una carrera o de un entrenamiento, alguien se pregunte cómo se puede reconocer el tipo de crisis, para poder paliar el problema. Si excluimos los problemas originados por las condiciones climáticas (demasiado frío o demasiado calor) y los de origen muscular (calambres, etc.), no siempre resulta fácil e inmediato efectuar la distinción. En estos casos el consejo es dejar de entrenar y valorar el tipo de alimentación y el comportamiento físico en los días anteriores. Si no descubrimos la causa y el problema se repite, la mejor solución es consultar a un especialista en medicina deportiva.

El golpe de calor

Casi toda la energía producida por el metabolismo de las sustancias nutritivas se convierte en calor corporal. Este principio también es aplicable a la energía producida por las contracciones musculares, por dos razones fundamentales:

a) la máxima eficacia para la conversión de la energía proporcionada por las sustancias nutritivas en el trabajo muscular es solamente del 20-25 %. La energía restante, 75-80 %, se convierte en calor mediante unas reacciones químicas intracelulares;

b) casi toda la energía que crea trabajo muscular también se convierte en calor corporal, menos una pequeña parte que se utiliza para vencer la resistencia viscosa de los movimientos de músculos y articulaciones y para contrarrestar la fricción de la sangre que circula por las arterias.

Considerando que la cantidad de calor liberada al organismo es proporcional a la cantidad de oxígeno consumido, es fácil intuir la gran cantidad de calor que se genera en los tejidos corporales durante las pruebas de resistencia. En condiciones climatológicas normales la temperatura corporal de los atletas pasa de 37 °C a 38 °C. En condiciones de calor húmedo, o corriendo excesivamente abrigado, se pueden alcanzar valores de 41-42 °C, niveles que destruyen las células de los tejidos, especialmente las cerebrales. Si el mecanismo de la transpiración no es capaz de eliminar el calor producido por el esfuerzo, el atleta puede sufrir un golpe de calor, que se caracteriza por los siguientes síntomas: debilidad extrema, dolor de cabeza, vértigos, náusea, gran sudación, dificultad de coordinación de movimientos, colapso y pérdida de consciencia.

El golpe de calor puede conllevar la muerte si el atleta no es atendido a tiempo. No basta con cesar la actividad para disminuir la temperatura, ya que esta permanece alta debido a que las reacciones químicas intracelulares en curso siguen liberando todavía más calor. Tampoco hay que descartar la posibilidad de mal funcionamiento de los mecanismos reguladores situados en los centros cerebrales (en el hipotálamo) y que son los encargados de mantener la temperatura a 37 °C en reposo.

El tratamiento de un golpe de calor se basa en la reducción de la temperatura corporal lo más rápidamente posible: hay que quitar la ropa al atleta afectado, rociar su cuerpo con agua fría pero no helada y dejar que le dé el aire fresco.

Los experimentos han demostrado que este tratamiento puede reducir la temperatura rápidamente, aunque en los casos más graves también se puede sumergir el cuerpo en agua fría.

La deshidratación

Realizando un trabajo de resistencia en condiciones climatológicas de calor y humedad, se puede sufrir una pérdida de peso de 4-5 kilos en el transcurso de una hora.

La pérdida de peso está determinada básicamente por la pérdida de sudor, y si supera el 3 % del peso corporal puede provocar un descenso drástico del rendimiento del atleta. En caso de que la pérdida de líquidos llegue a valores del 5-10 %, las consecuencias son cada vez más serias, porque se producen calambres, náuseas y otros síntomas. Para ello es necesario rehidratar el organismo.

Por otro lado, el sudor contiene un alto porcentaje de sales minerales. Por esta razón, los corredores que entrenan en zonas húmedas tienen que tomar cloruro de sodio y potasio (por ejemplo, zumos de fruta).

El calor y la humedad requieren un periodo de aclimatación. Al cabo de cierto tiempo, las glándulas sudoríparas adaptan su función a las nuevas condiciones y reducen la pérdida de sales. Este proceso se debe a la secreción de una hormona llamada aldosterona, que favorece el trabajo de las glándulas sudoríparas con una reabsorción parcial de cloruro de sodio, antes de que salga al exterior y se deposite en la superficie de la piel.

Correr con el perro

A quien, además de correr, también le gusten los perros, no encontrará nada más satisfactorio que correr por caminos y parques acompañado de su fiel amigo. Correr no perjudica al perro, ni hay que preocuparse por lo que el animal pueda cansarse, ya que su velocidad es muy superior a la del hombre. Con unos pocos pasos nos daremos cuenta de que lo que para nosotros representa ir a ritmo equivale a un trote tranquilo para el perro, naturalmente siempre que no sea de un tamaño muy pequeño. Sería exagerado pretender que un maltés o un yorkshire nos acompañe 10 o 15 kilómetros, pero un labrador, un pastor alemán, un setter, un schnauzer o cualquier otro animal de talla mediana-grande pueden hacerlo sin problemas. También pueden cubrir esta distancia perfectamente, siempre que no sea a ritmo muy rápido, los molosos como los san bernardos, o los terranova. En general, es difícil encontrar a un perro, sea de la raza que sea, por muy perezoso que parezca, que se niegue a seguir a su dueño.

Es conveniente saber que los cachorros pueden empezar a correr a partir de los 4 meses, aunque sólo como juego. Los recorridos largos pueden empezar entre los 8 meses y el año de edad, según la raza.

Si se desea correr acompañado por el perro, lo más importante no es la raza, sino la relación que se logra establecer con el animal. No conviene obligarlo: si no está acostumbrado a correr, él también necesita entrenarse, sin olvidar que es un perro y que, por lo tanto, no valora las distancias ni tiene en cuenta las tablas.

En términos prácticos, esto significa que quien corre con el perro no puede pretender que este le siga como una sombra, ni tiene que ponerse nervioso si el animal se entretiene en algún momento.

En el fondo, lo divertido es el hecho de correr juntos, sin que importe la dirección o el ritmo. De todos modos, si se le educa correctamente, el perro aprende a seguir al hombre en todo tipo de entrenamientos sin hacerle tropezar, e incluso tirando en los momentos más duros. Hay que tener presente en todo momento una cosa muy importante: a diferencia del hombre, el perro no suda, y tiene poca reserva hídrica. Por lo tanto, es importante que en el itinerario haya fuentes en donde el animal pueda beber. El bozal es totalmente desaconsejable, porque no permite respirar, así como también las traíllas demasiado cortas, que no dejan que el hombre mueva correctamente los brazos. En el campo es preferible no utilizar la traílla.

Correr con el perro es todavía más divertido

Tercera parte
ASPECTOS MÉDICOS

Los problemas del corredor

Anteriormente hemos afirmado que correr es beneficioso para la salud, siempre y en todos los casos. Esto no quiere decir que a veces no se planteen pequeños problemas causados precisamente por la práctica deportiva, problemas que si se tratan convenientemente no tienen excesiva trascendencia, ni requieren atención médica. En el presente capítulo veremos las principales patologías del corredor, con los respectivos tratamientos y la forma de prevenirlas.

Las ampollas

Una de las molestias más comunes del corredor son las ampollas en los pies, problema que se manifiesta especialmente en personas sin entrenamiento y, más en general, cuando se estrenan zapatillas nuevas. Las ampollas están producidas por el roce o la compresión anómala, a las que el pie reacciona localmente creando una especie de almohadilla constituida por un estrato de piel sostenido por un líquido seroso, con presencia de sangre en lagunas ocasiones. En el primero de los casos, las ampollas adoptan una coloración clara, casi igual a la de la piel circundante, mientras que en el segundo tienen un tono más oscuro o azulado. Si son de pequeñas dimensiones y contienen únicamente suero, *las ampollas se perforan con una aguja esterilizada* (quemada al fuego) para que salga el líquido, sin arrancar la piel. Una vez secas, no se tiene que efectuar ninguna otra cura que no sea tener la precaución de evitar que la zapatilla roce de nuevo en la misma zona; para ello son muy prácticas las esponjitas adhesivas que se utilizan para las callosidades.

En cambio, si la ampolla es grande o contiene sangre, se cura cortando la piel con unas tijeras esterilizadas y desinfectadas. A continuación, se protege con gasa estéril y se aplica un vendaje después de haber colocado algodón rodeando la herida para evitar el posible roce de los calcetines. El vendaje sirve exclusivamente para que el atleta pueda hacer vida normal. Tan pronto como sea posible, y en especial por la noche, es recomendable dejar la herida al descubierto para que el contacto con el aire facilite la cicatrización.

Una forma de prevenir las ampollas es untar con vaselina las zonas del pie que corren el riesgo de sufrir rozaduras, y utilizar calcetines de algodón, colocados uno encima del otro.

Los hematomas subungueales

En la fase de contacto del pie con el suelo, y especialmente en las bajadas, se produce un deslizamiento del pie hacia delante, en el interior de la zapatilla. Tanto es así que puede ocurrir que una o varias uñas impacten continuamente contra esta parte y se forme un hematoma en estas (el color oscuro se debe a la acumulación de sangre que se forma debajo), que puede ir acompañado de una sensación de dolor. En este último caso, es decir, si la uña duele, es necesario hacer salir la sangre practicando un pequeño orificio en el centro con una aguja esterilizada. La aguja se desinfecta y se hace girar entre el pulgar y el índice. La operación requiere un poco de tiempo, pero no produce dolor.

Las rozaduras

Cuando se corren distancias largas puede ocurrir que el roce del tejido de la camiseta irrite e incluso acabe haciendo sangrar los pezones. Existen prendas especialmente diseñadas para evitar esta molestia, aunque también podemos solucionar este problema con un par de tiritas. También se pueden producir abrasiones en las axilas y en la parte interior de los muslos. La solución más fácil es untar con vaselina las zonas de posible roce.

Los esguinces de tobillo

Se produce sobre todo cuando se corre en superficies irregulares. La lesión puede afectar a los ligamentos del maléolo lateral (más raramente en el maléolo medial) y sus consecuencias pueden ser más o menos graves. Dado que el esguince provoca tumefacción en los tejidos blandos, se tiene que aplicar hielo en la zona afectada con la mayor rapidez posible.

El enfriamiento de la zona tiene que combinarse con un vendaje que mantenga el pie a 90° con respecto a la pierna, y la duración de la aplicación de hielo oscilará entre 30 y 60 minutos. También es necesario hacer una radiografía para descartar la posibilidad de fractura maleolar. La rotura de ligamentos puede comportar largos periodos de inactividad.

Las mialgias y las distensiones musculares

Las mialgias son dolores musculares o calambres, y suelen afectar a los gemelos y a la parte anterior del muslo. Son producto de un trabajo muscular excesivo o de cambios repentinos de ritmo, circunstancia que puede darse cuando cambian las características del suelo. Los músculos que sufren calambres se quedan duros y rígidos, lo que es un signo de la acumulación de ácido láctico o de otro material residual. Estos elementos hacen que la presión osmótica en el interior de las fibras musculares sea mayor que en el exterior. Este fenómeno provoca una fuerte necesidad de agua en el interior del músculo, con la consiguiente dilatación de las fibras. En estas condiciones los vasos sanguíneos más pequeños quedan comprimidos y esto impide el drenaje de la materia residual por vía venosa.

La *distensión muscular* se diferencia de las mialgias porque generalmente afecta a una extremidad concreta. Aparece repentinamente y se manifiesta con un dolor agudo localizado.

Si para las mialgias la terapia adecuada consiste en aplicaciones de calor local, masajes y fármacos miorrelajantes, en lo que respecta a las distensiones la terapia se basa en aplicaciones de frío local.

Para prevenir estas dos patologías se recomienda respetar escrupulosamente la rutina de calentamiento y de descalentamiento, antes y después respectivamente de las sesiones de entrenamiento.

Dolores en el hipocondrio derecho y en el izquierdo

Cuando nunca se ha practicado deporte, puede ocurrir que en los primeros días de entrenamiento se experimente un dolor agudo en el lado izquierdo del abdomen (hipocondrio izquierdo), dolor que desaparece apenas cesa la actividad y que puede no reaparecer por espacio de mucho tiempo. Es lo que normalmente se conoce con el nombre de *flato*. Sin embargo, no está demostrado que el bazo tenga algo que ver con esta molestia, aunque el dolor se localice precisamente en esta zona. Considerando que este dolor es casual y que no aparece en las personas entrenadas, hasta el momento ningún médico ha dirigido sus investigaciones en esta dirección. Si algún corredor padece este problema durante el entrenamiento debe saber que el problema se soluciona dejando de entrenar un par de días.

En cambio, el problema es distinto cuando el dolor se localiza en el lado derecho, en donde se encuentra el hígado. Existen dos teorías que explican el fenómeno. Algunos médicos sostienen que está provocado por la acumulación de toxinas en el hígado, resultantes del ejercicio físico. Otros científicos trabajan con la hipótesis de que el dolor en lado derecho tenga una explicación fisiológica, y que pueda deberse al hecho de que la parte derecha del corazón no tiene un bombeo tan eficaz como la parte izquierda. Consecuencia de ello sería la acumulación de sangre en el hígado que, al estar recubierto por una membrana no extensible rica en terminaciones nerviosas, llamada glisoniana, provocaría este dolor.

Sea cual sea la causa del problema, lo cierto es que no debe infravalorarse, ya que el dolor es agudo e impide seguir corriendo. Puede afectar tanto a principiantes como a atletas profesionales. Una preparación eficaz consiste en trabajar una vez por semana un *interval training*, a ser posible combinado con una serie de ejercicios respiratorios en los que intervenga el diafragma. Un ejercicio útil es realizar una fuerte inspiración estando de pie, con los brazos levantados y el abdomen dilatado, y expulsar el aire inmediatamente después en cuclillas, rodeando las rodillas con los brazos, comprimiendo el abdomen y el tórax.

Este ejercicio está justificado por la teoría según la cual el diafragma es el responsable del dolor, por no ser capaz de adaptarse al ritmo de la respiración durante los esfuerzos intensos y prolongados.

Hematuria

Al término de un entrenamiento muy intenso puede ocurrir que los glóbulos rojos (que contienen mioglobina y hemoglobina), liberados por las fibras musculares, den lugar a un fenómeno llamado hematuria y que, en la práctica, se manifiesta con una coloración muy oscura de la orina.

La presencia de glóbulos rojos se debe a la falta de oxígeno en los capilares renales. Durante los esfuerzos intensos, la mayor parte de la sangre es enviada a los músculos; los capilares renales se dilatan por falta de oxígeno, y permiten la salida de glóbulos rojos que van a parar a las vías excretoras y tiñen de rojo la orina. El fenómeno puede considerarse temporal y no necesita terapia alguna.

El pie

Cuando se corre, el cuerpo pasa por una fase de vuelo (en que no tiene ningún contacto con el suelo), una fase de apoyo (cuando el pie contacta con el suelo) y, posteriormente, una fase de impulso (cuando el pie empuja nuevamente el cuerpo hacia delante). En el primer momento de la fase de apoyo, el impacto del pie contra el suelo tiene que ir seguido de una acción amortiguadora que, si no se efectúa correctamente, tiene una importante repercusión en las articulaciones y en los ligamentos. Puesto que durante un entrenamiento esta circunstancia se produce infinidad de veces, se convierte en un verdadero martilleo que, con el tiempo, puede acarrear numerosos problemas.

Las patologías más frecuentes son:

— metatarsalgia (dolor en la parte anterior del pie a la altura del segundo hueso metatarsiano, dos o tres centímetros por encima del segundo dedo);
— fascitis plantar (dolor en la zona del calcáneo);
— síndrome del seno del tarso (dolor localizado un poco por delante del maléolo externo);
— periostitis tibial (dolor e inflamación de la cara interna de la tibia);
— tendinitis (dolor en los tendones y en particular en el tendón de Aquiles).

Para todos estos problemas existen tratamientos específicos, aunque el mejor remedio consiste en aprender a correr de manera funcional, es decir, apoyando el pie correctamente. Las anomalías anatómicas, como el pie valgo o el pie plano, pueden crear problemas, pero en este caso el tema se complica porque hay que encontrar la armonía correcta de movimientos por medio de un entrenamiento adecuado que permita recuperar el equilibrio y la elasticidad de las articulaciones, y provoque el alargamiento de la musculatura que interviene en la desviación, de modo que se aumente la eficacia. En resumidas cuentas, se necesita un entrenador.

El tendón de Aquiles

Anteriormente hemos mencionado las tendinitis y, en particular, la que afecta al tendón de Aquiles. Esta lesión suele producirse cuando el contacto con el suelo es brusco y, en consecuencia, el tendón tiene que asumir una gran parte de la amortiguación del impacto y acaba por inflamarse. Es una lesión muy frecuente de los corredores. Cuando se sufre este problema conviene evitar las subidas, correr a mucha velocidad, las superficies irregulares y, en general, todos los movimientos que exigen un esfuerzo por parte del tendón.

La tendinitis se puede prevenir con estiramientos específicos de la parte posterior de la pierna. Si los gemelos y el sóleo no se estiran convenientemente, quedan acortados y poco elásticos, y esto repercute en su tendón distal (el tendón de Aquiles), precisamente en el momento de contacto con el suelo. El mejor tratamiento para la tendinitis consiste en aplicaciones de hielo en la zona afectada durante 30-40 minutos, seguido de un tratamiento antiinflamatorio y de iontoforesis.

Las fracturas

Corriendo es difícil fracturarse un hueso, a no ser que se produzca una caída. Sin embargo, hay un tipo particular de fracturas por microtraumatismo repetido *(march fractures),* que suelen afectar a la zona metatarsiana del pie y que no son consecuencia de un traumatismo violento, sino el resultado de una suma de pequeños microtraumas. Se manifiestan con edema (hinchazón) en la parte delantera del pie y dolor, y en la radiografía se aprecia fractura incluso diez o veinte días después del inicio de los síntomas.

La rodilla

Todos los movimientos del cuerpo humano están originados por la fuerza o la tensión que nuestros 501 músculos efectúan en los 208 huesos, y pasan por las conexiones entre los primeros y los segundos. La unión entre dos huesos puede ser fija —si unen elementos cuya función es el sostén o la protección, como por ejemplo los huesos del cráneo— o con un grado de movilidad mayor o menor —si unen dos huesos que aguantan partes del cuerpo móviles, como por ejemplo los huesos del brazo y del antebrazo—. En este segundo caso, la unión recibe el nombre de *articulación*. En ella intervienen otros elementos con funciones muy concretas: las *cápsulas articulares* sirven para proteger la articulación; el *líquido sinovial*, que actúa como lubrificante, favoreciendo la progresión y la capacidad de calibrar los movimientos, y los *ligamentos*, que son nexos elásticos entre dos huesos que impiden que se coloquen de manera diferente a la prevista por la naturaleza.

Un ejemplo de este tipo es la rodilla, una de las articulaciones que más interviene corriendo, y también la que más problemas crea al corredor. Los huesos que se unen en la rodilla son el fémur y la tibia. Ambos actúan gracias a dos apoyos separados llamados cóndilos. Los dos cóndilos femorales son como dos cilindros óseos que se apoyan en dos concavidades de la tibia (cóndilos tibiales). El conjunto de la articulación está rodeada por una membrana (la cápsula articular). En su interior se encuentran dos cartílagos semilunares: el menisco externo y el menisco interno. Completan la articulación los ligamentos: el anterior y el posterior son los más importantes, y como están dispuestos en forma de X se denominan *ligamentos cruzados*.

Los ligamentos laterales, uno externo y otro interno, actúan como elementos de refuerzo.

Las lesiones de los meniscos

Cuando surge un problema en una rodilla se da casi por descontado que existe una lesión de menisco, un caso tan frecuente que podría definirse como la lesión típica del deportista. Se trata de una lesión originada por los movimientos extremos de flexión y extensión rápida que realiza la rodilla en algunos ejercicios. En la flexión de la rodilla puede ocurrir que el menisco (especialmente el interno) se desplace de su base. Si este movimiento va seguido de la presión originada por una extensión brusca, puede ocurrir que el menisco, desplazado de su lugar habitual, sufra la rotura de su inserción en la cápsula articular. El resultado es que, sin llegar a fisurarse, queda libre.

La sintomatología del problema es clara: el atleta acusa un dolor agudo en el momento final de una extensión o de una flexión, dolor que se localiza exactamente en la línea divisoria de la articulación. A continuación aparece una acumulación de líquido y, más tarde, la hipertrofia del muslo. Conviene precisar que el diagnóstico radiológico en caso de lesiones meniscales no garantiza resultados seguros. Sin embargo, se suele efectuar para descartar la posibilidad de otro tipo de lesiones. La ecografía y la TAC son indispensables para un diagnóstico fiable. El problema se soluciona pasando por el quirófano para eliminar el menisco parcial o totalmente mediante una artroscopia.

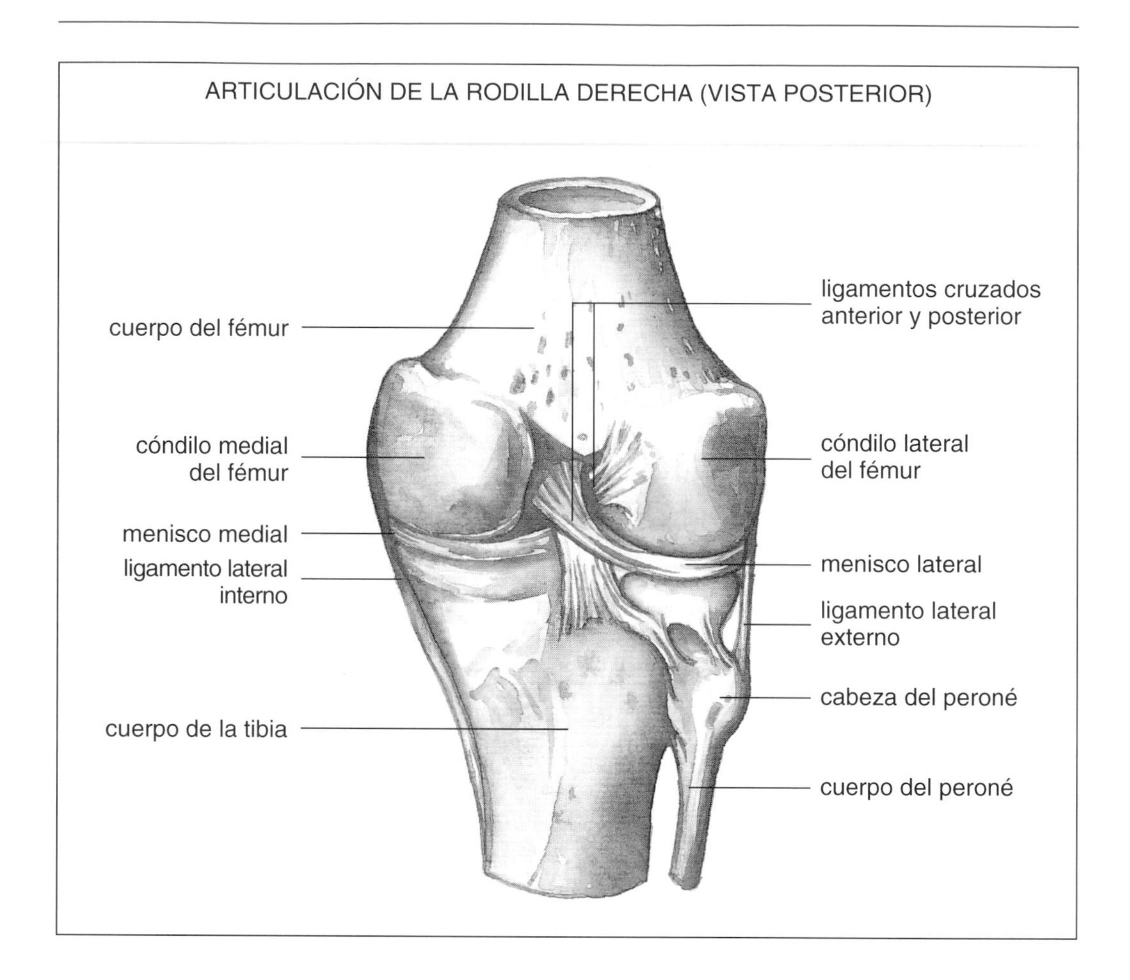

La artrosis de rodilla

El concepto de *artrosis* engloba las patologías articulares no inflamatorias sino degenerativas, cuyo origen está ligado a diversos factores, que van de las anomalías congénitas a los trastornos de crecimiento en las regiones epifisarias (los extremos de un hueso), pasando por los problemas de la estructura ósea debidos a la edad, a las secuelas de luxaciones o subluxaciones mal curadas. Por otro lado, una articulación sana puede deteriorarse a causa de un peso excesivo o por el trabajo que exige la práctica de un deporte de alta competición. La predisposición a la artrosis también puede ser hereditaria. Recientemente se ha planteado la hipótesis según la cual las artrosis pueden estar relacionadas con influencias nerviosas vasculares y hormonales que tienen lugar a causa de una composición defectuosa del líquido sinovial, que no es compatible con la nutrición normal del cartílago.

Independientemente de las causas, el resultado es siempre el mismo: una no correspondencia entre la estructura articular y las exigencias funcionales a las que deberían responder. Esta situación provoca en poco tiempo consecuencias patológicas negativas, que repercuten también en otras articulaciones, ya que la lesión conlleva la sobrecarga de articulaciones sanas, con lo que se da la premisa ideal para la formación de nuevas artrosis.

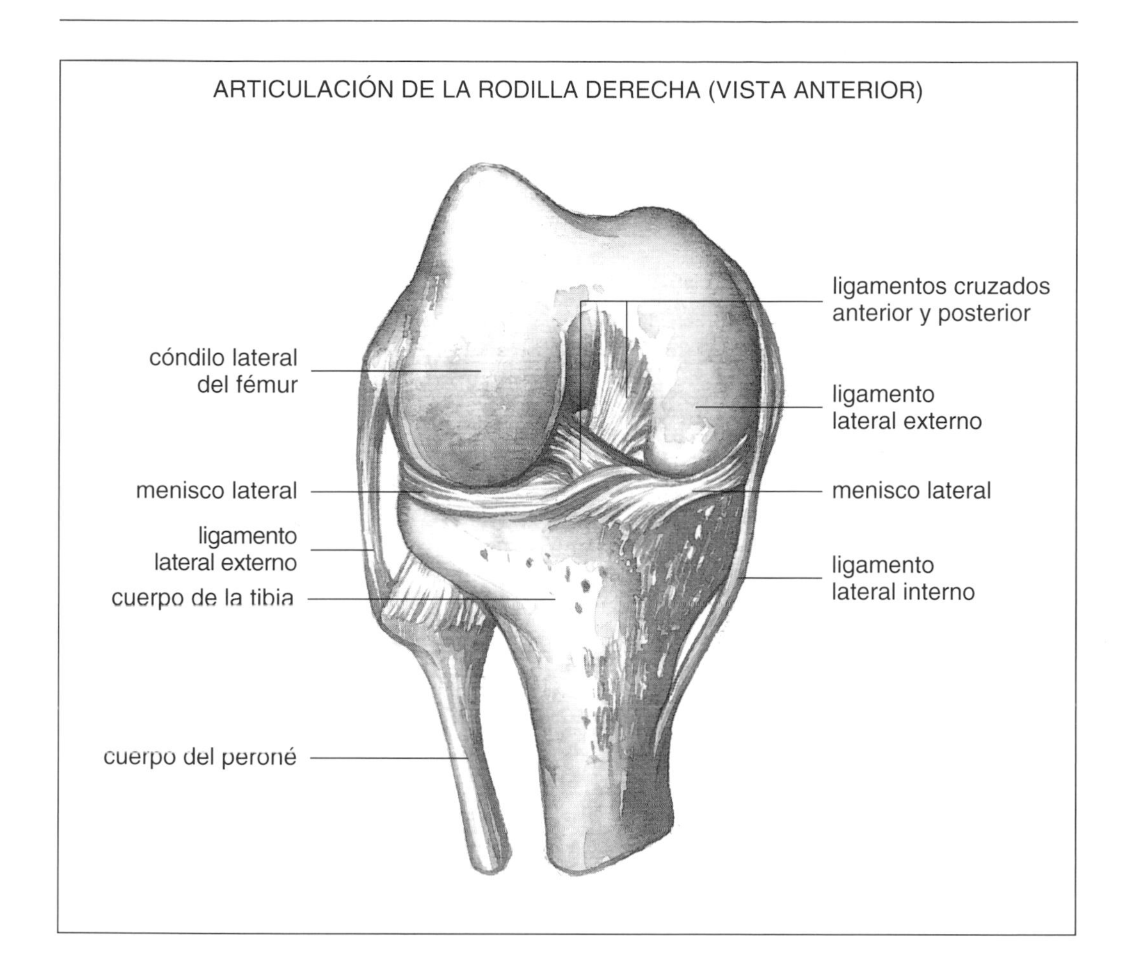

El problema se presenta con la aparición de un dolor local y con la limitación de la función articular, es decir, del movimiento. El dolor suele ser poco perceptible en reposo, pero aumenta con el movimiento y persiste hasta que los músculos logran colocar las superficies articulares en una posición óptima. En el caso de la rodilla, esta circunstancia se produce al cabo de pocos minutos, hasta el punto que el dolor inicial disminuye de intensidad y, en ciertos casos, desaparece totalmente. Sin embargo, cuando aparece la fatiga y los músculos ya no son capaces de aguantar la articulación, el dolor reaparece con intensidad creciente hasta llegar a ser punzante.

Un segundo factor que puede influir en el diagnóstico de una artrosis en la rodilla es la deformación exterior de los perfiles articulares o la presencia de sonidos o roces cuando se producen movimientos activos o pasivos. Hay que destacar también que las superficies articulares y los ligamentos que sufren problemas artrósicos son sensibles a la presión, pero no presentan derrames, enrojecimientos ni calor local.

Cómo se produce la energía

Nuestro cuerpo utiliza muchas fuentes de energía para producir el ATP, el carburante que utilizan nuestros músculos para llevar a cabo las actividades de cada día, laborales o recreativas. Estas se deben a reacciones químicas complejas, cada una de las cuales se realiza en condiciones especiales y en las que intervienen distintos compuestos y moléculas. Por esta razón se habla de *sistemas* energéticos, término que permite sintetizar en una sola definición cada uno de los procesos.

El ATP

La energía que se necesita para la contracción de los músculos se encuentra en una molécula llamada ATP, constituida por tres radicales fosfatos unidos entre sí (adenosina, PO_3-PO_3-PO_3). Cada vez que la molécula pierde un radical fosfato se liberan 7.300 calorías de energía, que pueden utilizarse para llevar energía a los procesos contráctiles de los músculos. El consumo del primer fosfato transforma el ATP en ADP (adenosindifosfato, PO_3-PO_3) mientras que el consumo del segundo fosfato transforma el ADP en AMP (adenosinmonofosfato, PO_3). La cantidad de ATP contenido en los músculos de un atleta bien entrenado es suficiente para mantener la potencia muscular máxima durante solamente 3 segundos. Por lo tanto, para mantener un esfuerzo físico el cuerpo tiene que producir ATP continuamente.

El sistema fosfágeno (ATP + fosfocreatina)

Tal como se ha visto, la cantidad de ATP que contienen los músculos es relativamente baja, y no se puede llegar a producir con la rapidez que determinados esfuerzos requerirían. Afortunadamente, el ATP no representa el único recurso químico disponible para la producción de energía. También está la *fosfocreatina*, una sustancia compuesta por creatina y un radical fosfato. La fosfocreatina se puede descomponer en iones fosfatos y creatina, y al hacerlo libera más energía que el ATP, puesto que produce 10.300 calorías en pocas fracciones de segundo. La combinación del ATP con la fosfocreatina da lugar a un sistema denominado fosfágeno, capaz de suministrar al músculo la energía necesaria para desarrollar su potencia máxima en un periodo de tiempo que va de 8 a 10 segundos. Este tipo de energía, obtenida a través del sistema fosfágeno (fosfocreatina + ATP), es el que se utiliza para el rendimiento máximo de poca duración.

El sistema anaeróbico (glucógeno + ácido láctico)

El glucógeno es una sustancia química almacenada en los músculos y en el hígado, que puede transformarse en glucosa mediante un proceso llamado glucólisis, en el que no interviene el oxígeno. Por este motivo el proceso recibe el nombre de *metabolismo anaeróbico*. Cada molécula de glucosa puede dividirse en dos moléculas de ácido pirúvico, proceso que libera la energía necesaria para formar cuatro moléculas de ATP. El ácido pirúvico entra en las mitocondrias de las células musculares y reacciona con el oxígeno formando otras moléculas de ATP. Sin embargo, si en los músculos no hay suficiente oxígeno para permitir este segundo proceso oxidante, gran parte del ácido pirúvico se transforma en ácido láctico que sale de las células musculares para depositarse en los fluidos intersticiales y en la sangre. Por consiguiente, el sistema anaeróbico puede usarse para abastecer de energía a los músculos cuando necesitan durante poco tiempo grandes cantidades de ATP. En condiciones óptimas este sistema puede proporcionar energía necesaria para llevar a cabo un trabajo muscular máximo de un mínimo de un minuto a un máximo de un minuto y diez segundos, sumándose así a los valores de los sistemas descritos anteriormente.

El sistema aeróbico

Consiste en la oxidación de las reservas de combustible de las mitocondrias musculares con el fin de producir energía. El alimento asimilado durante las comidas, con las oportunas transformaciones, se convierte en glucosa, ácidos grasos y aminoácidos que pueden ser combinados con oxígeno y pueden aportar cantidades importantes de energía, que se usan para fabricar ATP.

Recapitulando

La «gasolina» que hace mover los músculos se llama ATP y es producida por

Sistema	***Producción de ATP (moléculas/minuto)***
fosfágeno	4
anaeróbico	2,5
aeróbico	1

nuestro organismo de tres maneras distintas y con diferentes modalidades, tal como se aprecia comparando los tres sistemas.

Sistema	***Minutos y segundos***
fosfágeno	8”/10”
anaeróbico	1’03”/1’06”
aeróbico	ilimitado (hasta que se agotan los principios nutritivos)

Estos sistemas también pueden compararse en términos de capacidad de producción continuada de energía (resistencia).

De los datos del recuadro se deduce que el primer sistema (fosfágeno) es el que utilizan los músculos para un esfuerzo de máxima potencia y durante un breve periodo de tiempo. El sistema aeróbico es el que funciona en esfuerzos, atléticos o no, de larga duración. El sistema anaeróbico es el empleado en aquellas situaciones que resultan demasiado largas para utilizar solamente el carburante producido por el sistema fosfágeno, pero que requieren un rendimiento superior al que se obtiene a través del sistema aeróbico. Un ejemplo de esto son los 200, los 400 y los 800 metros lisos. En las carreras de larga duración, el ATP que necesita el atleta para llegar a la meta está producido por el sistema aeróbico, mientras que en el *sprint* final entra en acción el mecanismo anaeróbico. Recordemos que si el glucógeno contenido en los músculos baja por debajo de un umbral mínimo se produce la crisis del corredor, que se puede evitar con una dieta rica en carbohidratos, tal como ya se ha explicado.

Como curiosidad, indicamos las fuentes primarias de energía que utiliza el atleta en las disciplinas deportivas más conocidas:

- *Sistema fosfágeno:* 100 metros lisos, saltos, levantamiento de peso, saltos de trampolín, fútbol.
- *Sistema fosfágeno + sistema anaeróbico*: 200 metros lisos, baloncesto, béisbol, hockey sobre hielo.
- *Sistema anaeróbico:* 400 metros lisos, 100 metros natación, tenis.
- *Sistema anaeróbico + aeróbico:* 800, 1.500, natación 200 y 400 metros, patinaje en 1.500 metros, boxeo, remo.
- *Sistema aeróbico:* maratón, esquí de fondo, jogging, patinaje 10.000 metros.

Para ser un buen runner, hay que tener en cuenta la fisiología de la carrera, la dieta, la postura y los movimientos incorrectos para evitar las pequeñas molestias ©istockphoto/Thinkstock

El aparato respiratorio

Los pulmones

La respiración tiene la función de transportar el oxígeno del aire a la sangre y de eliminar el anhídrido carbónico (CO_2) que se forma en los tejidos como consecuencia de los procesos oxidantes del metabolismo. El órgano encargado de la respiración son los pulmones, y el intercambio de gases tiene lugar en los conductos y en los alvéolos pulmonares. La suma total de la superficie de intercambio de los pulmones es de unos 55 m^2, es decir, igual que una habitación de dimensiones importantes. Esta enorme superficie respiratoria está vascularizada por una densa red de capilares, que están separados por la finísima pared de los alvéolos que no supera las 4 micras (4 milésimas de milímetro) de espesor.

Dado que el aire llegaría a las cavidades internas de los pulmones con mucha lentitud, existen unos mecanismos musculares que tienen la función de provocar indirectamente su expansión rítmica. El aire llega a los pulmones a través de los orificios nasales, se calienta, se humedece, las impurezas de mayores dimensiones quedan depositadas en los finos pelos del interior de las fosas nasales y en la mucosidad que las reviste, y luego pasa por la faringe, la laringe, la tráquea, los bronquios, los bronquiolos, hasta llegar a los conductos alveolares y a los alvéolos. La parte de los pulmones que lleva a cabo la función respiratoria propiamente dicha son los bronquiolos, los conductos alveolares, el saco alveolar y los alvéolos. Estas estructuras forman el lóbulo pulmonar o primario. El diámetro de cada alvéolo, que tiene una forma más o menos semiesférica, es de 0,1 milímetros; la cantidad total de alvéolos es de 750 millones. La ventilación del pulmón se realiza con el ensanchamiento y la contracción de la caja torácica. Las paredes elásticas de los pulmones siguen pasivamente el movimiento de aumento de volumen de la caja torácica, que es efectuado por los músculos respiratorios y por el diafragma. Las dos fases respiratorias reciben el nombre de inspiración y espiración.

El tórax es una caja completamente cerrada cuyos diámetros se modifican continuamente. Durante la inspiración aumentan, y en la espiración recuperan las dimensiones iniciales. El aumento de amplitud de la cavidad torácica se produce por el levantamiento de las costillas y el descenso del diafragma, que es un músculo que en posición de reposo forma dos especies de cúpulas que se extienden a la derecha y a la izquierda de la parte inferior del tórax. Las costillas ascienden gracias a la acción de los músculos intercostales. Existen dos tipos de respiración que se diferencian según el sexo. En el hombre, la respiración predominante es de tipo abdominal o diafragmática, mientras que en la mujer es de tipo costal, quizá por la adaptación del organismo femenino a las condiciones de la gestación.

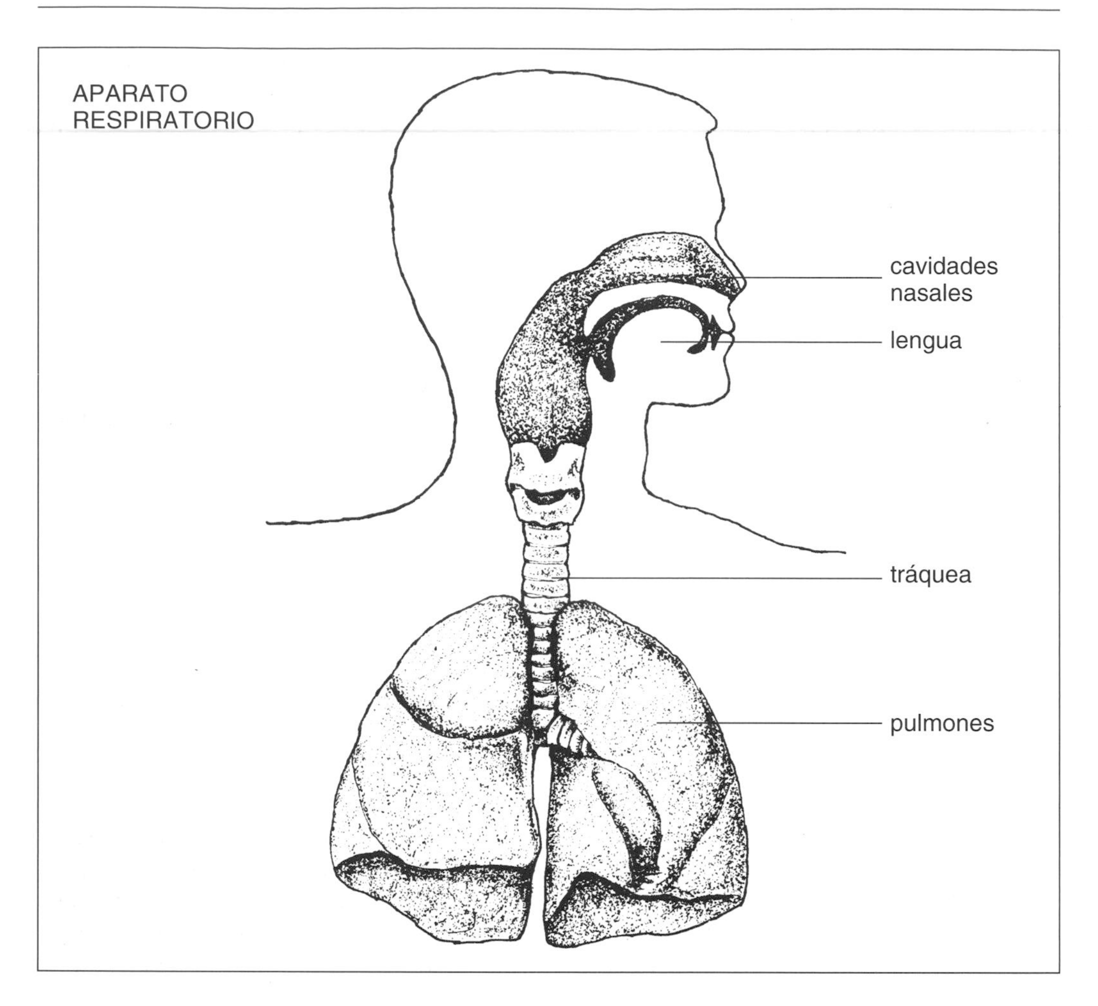

Cuando por diversas circunstancias la respiración es forzada, intervienen los músculos auxiliares (pectorales, trapecio, etc.). Si la inspiración es activa, la espiración es prevalentemente pasiva, y esto se debe a las propiedades elásticas del cuerpo, que recuperan la condición de reposo original. La cantidad de aire que ventilan los pulmones en una inspiración estando en reposo se llama *volumen corriente* y su valor medio es de 500 cc. El volumen adicional de aire que puede ser introducido con una inspiración forzada es de unos 1.500/2.000 cc, y se llama volumen de reserva inspiratorio. La cantidad máxima de aire que puede ser expulsado oscila entre 1.000 y 1.500 cc (volumen de reserva espiratorio). El volumen total de aire inspirado y espirado con una inspiración y una espiración forzadas es: volumen corriente + volumen de reserva espiratorio + volumen de reserva inspiratorio = capacidad vital (3.500 cc aproximadamente). No es posible expulsar todo el aire de los pulmones, ni siquiera con la espiración más enérgica, ya que siempre queda una cierta cantidad (1.000/1.500 cc) llamada *volumen residual*.

La frecuencia respiratoria del adulto va de 15 a 20 respiraciones por minuto, y está modificada por numerosos factores fisiológicos y patológicos: actividad muscular, aumentos de la temperatura interna o externa, estados emocionales, etc. En condiciones óptimas, en reposo, se ventilan 6/8 litros de aire por minuto, que pueden llegar a 130 en caso de trabajo muy fatigante. El aire que inspiramos y espiramos tiene una composición muy uniforme en todos los lugares de la Tierra y hasta los 11.000 metros de altura (troposfera).

	Nitrógeno	*Oxígeno*	*Anhídrido carbónico*
Aire inspirado	79,0 %	20,96 %	0,04 %
Aire espirado	79,4 %	16,30 %	4,10 %

Al ser el nitrógeno completamente inerte, los únicos gases que interesan en la función respiratoria son el oxígeno y el anhídrido carbónico. Cabe decir también que, desde el punto de vista biológico, las propiedades de un gas no dependen tanto del porcentaje de su concentración, sino de la presión parcial que ejerce.

En las ascensiones a gran altura o en las carreras de resistencia en mesetas elevadas, los trastornos respiratorios que a veces se registran se deben a la presión parcial del oxígeno, que disminuye con la altura, y, en cambio, el porcentaje es el mismo que en el nivel del mar. Los efectos de respirar en lugares con poca concentración de oxígeno son la hipoxemia (disminución del oxígeno de la sangre) y la anoxia (falta de oxígeno en los tejidos). Estos fenómenos pueden afectar al sistema nervioso y producir una pérdida de conocimiento que generalmente va precedida de síntomas variables como neuralgias, apatía, depresión, fatiga, falta de apetito, náuseas, vómitos, aumento de las pulsaciones, dilataciones cardíacas y cianosis.

La presión parcial de oxígeno en el área alveolar a nivel del mar es de 100 mm de mercurio. En la sangre venosa, rica en anhídrido carbónico producido por el metabolismo que vuelve a los pulmones para ser expulsado, es de 40 mm de mercurio. Esta diferencia de unos 60 mm entre ambos lados de la pared del alvéolo es la que permite el rápido paso del oxígeno a la sangre. Cuando la presión parcial del oxígeno llega a los 100 mm de mercurio la sangre ha pasado a ser arterial. Entonces, sale del pulmón casi saturada de oxígeno (95 %) y cuando este llega a los tejidos, donde la presión de oxígeno es inferior a 40 mm de mercurio, cede rápidamente una cantidad notable de gas. Cuando deja el oxígeno y se va cargando del anhídrido carbónico producido por el metabolismo de los tejidos, la sangre vuelve a ser venosa y vuelve a los pulmones para reanudar el ciclo.

Concluyendo: el intercambio de gases tiene lugar por razones puramente físicas y depende de la diferencia de presiones parciales que tienen el oxígeno y el anhídrido carbónico en la sangre venosa y en el área de los alvéolos.

La regulación de los movimientos respiratorios

La ventilación tiene la función de mantener constante la composición del aire que se encuentra en el área alveolar. Como consecuencia de ello, cada vez que se produce un aumento del anhídrido carbónico, esta constante se mantiene acelerando la ventilación para eliminar dicho gas. Durante la respiración, en el momento en que empieza la inspiración, el diafragma y los músculos intercostales se contraen simultáneamente, las fosas nasales se dilatan, las cuerdas vocales se separan, al tiempo que los músculos espiratorios y los de la zona bronquial se relajan. La coordinación de este conjunto de movimientos se invierte en la fase siguiente de la espiración, y sigue un ritmo gracias a los centros respiratorios del sistema nervioso, situados en una zona del cerebro que se denomina zona reticular bulbopontina. Los impulsos de este centro son transmitidos a los nervios motores que se ramifican en los músculos respiratorios. El centro es bilateral: las dos mitades están en conexión entre sí, y cada mitad controla los músculos del lado correspondiente. Este centro posee un ritmo automático y está estimulado por impulsos provenientes de la composición química de la sangre. Una disminución de la presión de oxígeno provoca una aceleración de la respiración, que no es más que un mecanismo de compensación del organismo consistente en aumentar el número de movimientos respiratorios por unidad de tiempo, con el fin de recuperar la constante de esta presión.

El aumento de la presión de CO_2, como el que se puede experimentar en esfuerzos musculares prolongados, envía impulsos a los centros del bulbo raquídeo, y eso duplica o triplica la cantidad de aire ventilado. El anhídrido carbónico tiene un efecto estimulante que se manifiesta sobre todo durante el ejercicio físico, que es cuando se produce en cantidades importantes. El ajuste de la ventilación pulmonar, en el paso de las condiciones de trabajo a las de reposo, es tan precisa que el porcentaje de anhídrido carbónico en la zona alveolar cambia poquísimo.

El consumo de oxígeno

Por consumo de oxígeno máximo se entiende la cantidad total de oxígeno que es absorbido por el organismo en un minuto dividida por los kilos de peso corporal. Dado que el oxígeno se consume para producir energía, cuanto más alto es el consumo, mayor debería ser la capacidad del atleta. Por lo tanto, un corredor necesita tener un consumo de oxígeno alto, aunque no todos los atletas con un consumo alto obtienen los mismos resultados. La diferencia se debe principalmente a la técnica de carrera, a las características de las articulaciones, de los ligamentos, de los músculos, y también al equilibrio hídrico, a las reservas de energía (glucógeno), a factores psíquicos, etc. Observemos que el consumo de oxígeno aumenta al incrementar la velocidad, hasta un límite que es fisiológico en cada atleta. Cuando se llega a dicho límite, significa que se ha llegado al consumo máximo de oxígeno del atleta en cuestión. A título informativo, digamos que el consumo de oxígeno normal de una persona joven en reposo es de 250 ml/min aproximadamente. Este valor aumenta con el esfuerzo hasta 3.600 ml/min en un hombre no entrenado, hasta 4.000 ml/min en un hombre entrenado y llega a 5.100 ml/min en un maratoniano.

Los límites de la ventilación pulmonar

¿Hasta que punto podemos forzar nuestro sistema respiratorio durante el ejercicio físico? La ventilación pulmonar en condiciones de base es de 20 litros por minuto y puede alcanzar un máximo de 100/110 litros por minuto. En cambio, la capacidad máxima de respiración va de los 150 a los 170 litros por minuto y, por lo tanto, es un 50 % superior a la ventilación pulmonar máxima requerida durante el ejercicio. Esto garantiza la posibilidad de ventilar convenientemente los pulmones. El aparato respiratorio no limita el transporte de oxígeno a los músculos que realizan un trabajo. Por el contrario, la capacidad del corazón para bombear sangre a los músculos es mucho más limitada. Podría esperarse que, a causa del gran consumo de oxígeno a cargo de los músculos que trabajan, la presión de oxígeno en la sangre arterial (100 mm de mercurio) disminuyera, con el consiguiente aumento de la presión del anhídrido carbónico (40 mm de mercurio). Sin embargo, los dos valores permanecen normales, demostrando una vez más la gran capacidad del aparato respiratorio para oxigenar convenientemente la sangre, incluso durante esfuerzos intensos.

El débito de oxígeno

Anteriormente hemos destacado la importancia del oxígeno en la producción de energía aeróbica. Durante el primer periodo de actividad deportiva puede ocurrir que se agote una parte de la energía aeróbica. Ello puede deberse a dos factores, uno de los cuales es el llamado débito de oxígeno. Normalmente, nuestro cuerpo almacena 2 litros de oxígeno, una cantidad de gas que puede ser usado directamente para el metabolismo aeróbico y sin que el atleta tenga necesidad de inhalar más. Esta cantidad de oxígeno se reparte del siguiente modo: 0,5 litros se encuentran presentes en los pulmones; 0,25 litros se encuentran disueltos en los fluidos del cuerpo; 1 litro circula con la sangre combinado con la hemoglobina, y aproximadamente 0,3 litros se encuentran en las fibras musculares, combinados con la mioglobina (una sustancia parecida a la hemoglobina).

Una actividad deportiva intensa quema casi todo el oxígeno almacenado en el organismo en cuestión de un minuto, y cuando esto se produce los pulmones se encargan de reemplazar este volumen de oxígeno respirando una cantidad suplementaria de aire, además de la que normalmente se necesita, que son unos 9 litros. La cantidad de oxígeno necesario para reconstruir las reservas normales del cuerpo y para afrontar otras transformaciones energéticas producidas por el ejercicio se llama *débito*. Durante los primeros minutos que siguen a la acción, los pulmones respiran unos 3,5 litros de oxígeno, que sirven para hacer frente al *débito sin ácido láctico*, mientras que a partir de los 8-10 minutos y hasta una hora después de la conclusión del ejercicio, la recuperación de las reservas necesita otros 8 litros de oxígeno (*débito de ácido láctico*).

Los efectos del tabaco

Está ampliamente demostrado que *el tabaco hace disminuir la capacidad atlética*. Efectivamente, la nicotina tiene efectos constrictivos para los bronquiolos terminales de los pulmones, y esto produce un aumento de la resistencia al paso del aire ventilado. Además, los efectos irritantes del humo pueden causar secreciones fluidas en los bronquios e inflamar las células del epitelio. Tampoco podemos olvidar que la nicotina tiene un efecto paralizante en las células ciliadas que normalmente eliminan los efectos de fluidos y de partículas extrañas. El resultado es que los muchos residuos acumulados en el conducto respiratorio acaban causando todavía más trastornos en la ventilación. Incluso una persona que fume moderadamente notará dificultades respiratorias al realizar esfuerzos máximos, y el rendimiento será peor.

Sin embargo, las consecuencias del tabaco en fumadores empedernidos son mucho más graves, ya que pocos de ellos pueden decir que no padecen estados de enfisema. Esta enfermedad consiste en una bronquitis crónica con obstrucción de muchos bronquiolos terminales y destrucción de muchos alveolos. En estadios graves de enfisema, el ochenta por ciento de la membrana respiratoria pueden estar destruida. En estos casos, el más leve ejercicio produce ahogo.

La circulación sanguínea

La sangre

En los animales vertebrados, la sangre circula por un circuito cerrado de conductos (arterias, capilares y venas), impulsada gracias a la actividad contráctil del corazón. Los capilares están en estrecho contacto con todos los tejidos del organismo y tienen la misión de regular los intercambios entre sangre y tejidos, intercambios que se ven facilitados por el pequeñísimo tamaño de los capilares. La sangre transporta oxígeno y sustancias nutritivas a los tejidos, y recoge el anhídrido carbónico y las sustancias producto de la renovación celular (metabolismo nitrogenado), que tienen que ser eliminadas por los pulmones, los riñones y la piel. Además, transporta las hormonas, los anticuerpos, el agua y las sales minerales, y sirve también para mantener constante la temperatura corporal; en algunos órganos actúa como calentador, mientras que en otros hace la función de líquido refrigerante.

Esta importante contribución de la sangre en el mantenimiento de la vida se debe en gran parte a las características físico-químicas de su principal constituyente, el agua, un líquido que se caracteriza por el alto calor específico, la elevada conductividad térmica y el notable calor latente de evaporación. El color rojo opaco viene dado por un pigmento llamado hemoglobina: la sangre de color rojo escarlata es sangre arterial, y la de color rojo azulado es sangre venosa, diferencia que se debe al grado de oxigenación de la hemoglobina, según se encuentre en un vaso arterial o venoso. La sangre no es homogénea. Contiene varios tipos de células libres suspendidas en un líquido amarillo pálido, llamado plasma sanguíneo. Las células más numerosas son los glóbulos rojos, también llamados hematíes, y los glóbulos blancos, o leucocitos. Los elementos celulares constituyen el 35-45 % del total de la masa sanguínea. Los glóbulos rojos son células sin núcleo, en forma de disco bicóncavo, lo que implica un aumento de la superficie del 20 % con respecto a la forma esférica. El diámetro medio de un glóbulo rojo es aproximadamente de 7,2 micras (milésimas de milímetro) y se encuentran en el organismo, a nivel del mar, en una cantidad que oscila entre los 4,5 y los 5,5 millones por milímetro cúbico. Los leucocitos o glóbulos blancos (6.000/8.000 por milímetro cúbico) se dividen en cinco grupos según su forma y los reactivos usados para su coloración en el laboratorio:

— granulocitos neutrófilos: 70 % (células de núcleo lobulado, de 9 a 12 micras);
— granulocitos eosinófilos: 1,5 %;
— granulocitos basófilos: 0,5 %;
— linfocitos: 23 % (células redondas mononucleares, 6 micras);
— monocitos: 5 % (mononucleadas, 10-25 micras).

Los granulocitos y los grandes mononucleados tienen propiedades ameboides. Esto significa que pueden desplazarse como las amebas, es decir, mediante pseudópodos (una especie de pies) que sirven también para absorber corpúsculos, elementos extraños o bacterias. Debido precisamente a esta función reciben el nombre de fagocitos. Esta facultad migradora está determinada por estímulos químicos que se originan durante la destrucción de células o en presencia de bacterias. Los granulocitos y los grandes mononucleados se dirigen hacia el foco, alargan sus pseudópodos donde mayor es la concentración de sustancias estimulantes y, atravesando las paredes de los capilares, son capaces de llegar y de juntarse en el punto en donde se produce el estímulo. Estos son los procesos fundamentales que tienen lugar durante una inflamación.

Además de los glóbulos rojos y de los glóbulos blancos, también están las plaquetas, unas formaciones esféricas o en forma de disco, que se encuentran en la sangre en cantidades que van de las 200.000 a las 400.000 por milímetro cúbico, y que intervienen en los procesos de coagulación, formando acumulaciones a partir de las cuales se irradian filamentos de fibrina que constituyen el coágulo propiamente dicho.

Volviendo a los glóbulos rojos, su constituyente fundamental es la hemoglobina (Hb), una sustancia que en el adulto representa el 14-15 % de sangre. La cantidad total de hemoglobina en un hombre es de aproximadamente 1 kg (14 g por kilo de peso corporal). La función más importante de la hemoglobina es el transporte de oxígeno de los pulmones a los tejidos. La unión entre hemoglobina y oxígeno (O_2) recibe el nombre de oxihemoglobina, y la reacción es reversible. La hemoglobina también transporta el anhídrido carbónico resultante de los procesos metabólicos de los tejidos. Cuando la oxihemoglobina le cede el oxígeno se transforma en hemoglobina reducida.

Resumiendo el proceso: la sangre arterial que contiene anhídrido carbónico a la presión de 40 milímetros de mercurio, al atravesar los capilares sanguíneos de los tejidos, se ve expuesta a una presión de anhídrido carbónico más elevada. Por lo tanto, la presión de esta aumenta en el plasma y el anhídrido se reparte en los glóbulos rojos. Al mismo tiempo, el oxígeno se libera de la hemoglobina debido a la baja presión existente en los tejidos (40 milímetros por 100 de la sangre arterial) transformando la hemoglobina en hemoglobina reducida. La sangre se convierte en venosa, la presión de anhídrido carbónico es de unos 46 milímetros y la presión de oxígeno disminuye a 40 milímetros de mercurio. Cuando dicho fluido llega a los pulmones, el proceso se invierte: la presión del anhídrido carbónico en la sangre es más elevada que la existente en el área alveolar y por lo tanto el anhídrido pasa del plasma a los alvéolos. Todo esto tiene lugar mientras el oxígeno pasa de la superficie alveolar (presión de 100 mm de mercurio) y se distribuye en el plasma, y se combina nuevamente con la hemoglobina.

El aparato cardiovascular

La sangre circula por un sistema de conductos, los vasos sanguíneos, que presentan diámetros y estructuras diversos, que llegan a los tejidos a través de una red de conductos todavía más pequeños: los capilares. El movimiento de la sangre por los vasos sanguíneos está determinado por el corazón, un músculo hueco situado en el tórax. La sangre sale de él por unos vasos de paredes gruesas, y lle-

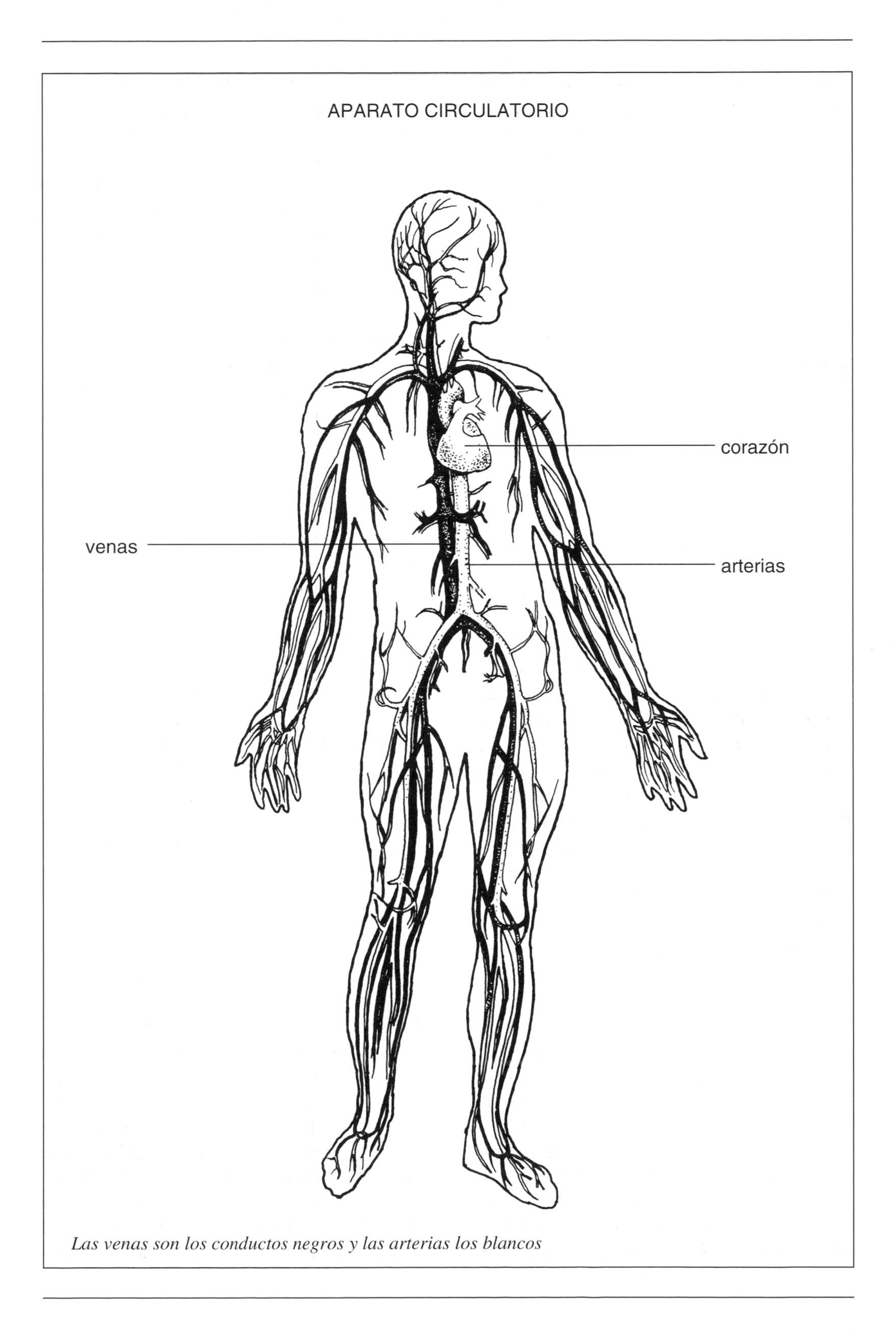

Las venas son los conductos negros y las arterias los blancos

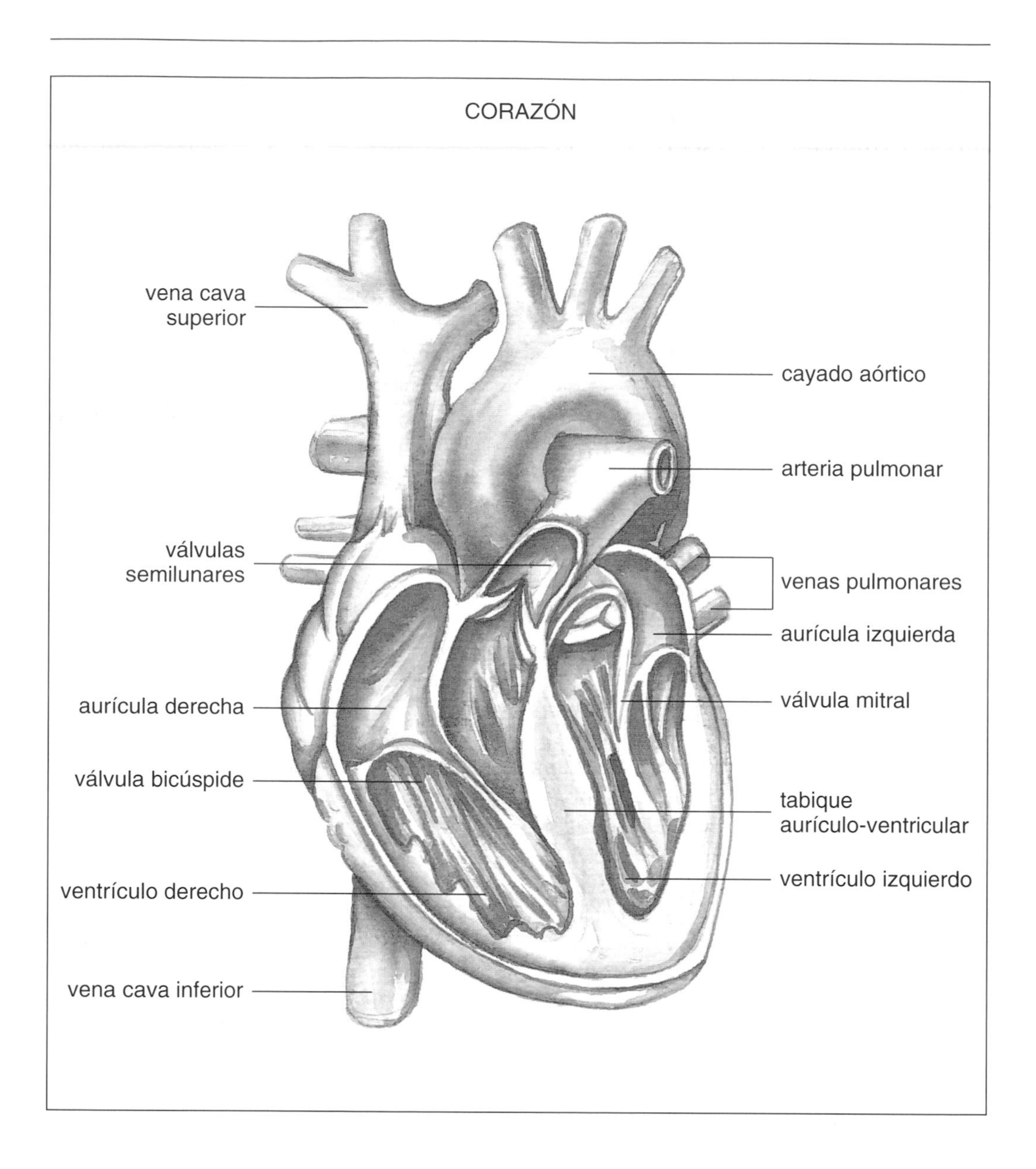

ga a él por vasos de paredes relativamente más delgadas: las venas.

En los mamíferos, el corazón está dividido en dos partes (derecha e izquierda), que no se comunican entre sí. Cada parte consta de una aurícula y un ventrículo. Las dos aurículas primero, y los dos ventrículos después, se contraen sincrónicamente, expulsando al mismo tiempo la misma cantidad de sangre. La aurícula derecha recibe a través de la vena cava sangre venosa proveniente de todos los tejidos del cuerpo. Por medio de la arteria pulmonar, la sangre es impulsada del ventrículo derecho a los pulmones (alvéolos), en donde la sangre, que circula por una extensísima red capilar, se oxigena y pierde el anhídrido carbónico, con lo cual la sangre venosa se convierte en arterial.

La sangre vuelve al corazón por las venas pulmonares, que desembocan en la aurícula izquierda. De esta cavidad la sangre pasa al ventrículo izquierdo, desde donde sale por la arteria aorta. Mediante este vaso y sus sucesivas ramificaciones, mayores y menores, llega a todos los tejidos del organismo. El recorrido que realiza la sangre desde el ventrículo izquierdo hasta la aurícula izquierda recibe el nombre de circulación mayor. El recorrido desde el ventrículo derecho hasta la aurícula izquierda se llama circulación menor o circulación pulmonar. Las fibras del músculo cardíaco, al igual que las fibras de los músculos de acción voluntaria, poseen una estructura transversal y otra longitudinal. La capacidad de contraerse rítmicamente es propia de la estructura de la célula cardíaca. El ritmo, que es automático, se origina por una formación particular que se llama nodo sinusal, del cual depende el inicio y la propagación del latido. Estas estructuras están constituidas por elementos musculares estructuralmente diferentes del resto del miocardio: contienen abundante glucógeno y las miofibrillas estriadas forman una estructura reticular. El estímulo pasa del nodo sinusal al nodo aurículo-ventricular, al haz ventricular y a sus ramificaciones, para propagarse luego a los ventrículos derecho e izquierdo.

El latido cardíaco se origina en el nodo sinusal, que por esta razón se llama el «marcapasos del corazón». El músculo cardíaco es una estructura excitable. Los aumentos de la temperatura, los estímulos químicos, mecánicos o eléctricos, el estado de nutrición o la fatiga aceleran el ritmo cardíaco. La curva de contracción de cada segmento del corazón dura unas tres décimas de segundo, y dentro de este tiempo se distinguen un tiempo de latencia, un periodo de contracción (sístole) y un periodo de relajación (diástole). Durante todo el periodo de contracción, el músculo cardíaco es inexcitable (periodo refractario absoluto). La contracción que pudiera producirse durante el citado periodo se llama extrasístole. El largo periodo refractario sirve para mantener la constancia del ritmo, que está regulada por el nodo sinusal. La frecuencia cardíaca del hombre en reposo oscila entre las 60 y las 80 pulsaciones por minuto.

La dirección de la sangre al circular a través del corazón está determinada por las válvulas dispuestas en los orificios aurículo-ventriculares y en los de la aorta y de la arteria pulmonar (válvulas semilunares). Las válvulas aurículo-ventriculares, la mitral y la tricúspide, constituyen cada una un sistema valvular, dividido respectivamente en dos lengüetas a la izquierda (mitral) y tres a la derecha (tricúspide). Estas válvulas están sostenidas por unas cuerdas tendinosas que se insertan en los músculos papilares.

El ciclo cardíaco

El ciclo tiene su inicio con la contracción casi simultánea de las dos aurículas (sístole). Inmediatamente después de la sístole auricular, también llamada tiempo presistólico, se contraen los ventrículos y la sangre es impulsada a las grandes arterias.

Después de la contracción de los ventrículos, llamada también tiempo sistólico, sigue un reposo de todo el corazón, llamado diástole. El ciclo cardíaco se lleva a cabo en ocho décimas de segundo. En el periodo diastólico las válvulas semilunares y aórticas están cerradas, mientras se produce un flujo continuo de sangre de las grandes venas a las aurículas, y de estas hacia los ventrículos. La contracción de las aurículas, impulsando la sangre hacia los ventrículos todavía relajados, completa el llenado de estos, mientras que los remolinos centrípetos se acentúan, preparando de esta manera el cierre de las válvulas aurículo-ventriculares.

La sístole ventricular se manifiesta muy rápidamente. Apenas aumenta la presión en los ventrículos, dichas válvulas se cierran completamente. Aumentando más la presión, las válvulas semilunares se abren y la sangre pasa a la aorta.

Poniendo el oído cerca del pecho, se pueden apreciar dos tonos, dos sonidos diferentes, como si fueran dos latidos. El primero es más opaco, más grave y más largo; el otro es más claro y más breve. El primero es debido a la contracción muscular y al cierre y vibración de las lengüetas aurículo-ventriculares; el segundo coincide con el cierre de las válvulas semilunares. Si estas válvulas se hacen incontinentes debido a algún fenómeno patológico, se originan unos ruidos que reciben el nombre de soplos.

La presión arterial

La sangre circula por los vasos con una cierta presión y de manera continua. Esto está determinado por diversos factores:

— energía de contracción del corazón;
— cantidad de sangre en el sistema arterial;
— resistencias periféricas.

Este último factor es a su vez consecuencia de otros factores, entre los cuales los más importantes son la viscosidad de la sangre y la elasticidad de las paredes vasculares. Las oscilaciones del pulso cardíaco nos proporcionan los valores de la presión sistólica (o máxima) y de la diastólica (o mínima). La primera corresponde a la fase de la contracción; la segunda a la fase de reposo. Estos valores normalmente se toman en el hombre en la arteria humeral con unos instrumentos llamados esfigmomanómetros. En el adulto, la presión máxima oscila sobre los 130 milímetros de mercurio con desviaciones máximas de más o menos 15 milímetros de mercurio.

Cabe decir que la presión sistólica cambia en función de las condiciones fisiológicas (por ejemplo, con la influencia del ejercicio muscular, de la alimentación, del sueño, de la posición del cuerpo, etc.). En cambio, la presión diastólica está menos sujeta a variaciones temporales y es un índice de la resistencia periférica, puesto que depende principalmente del tono de las pequeñas arterias. Suele ser de 80 milímetros de mercurio (es decir, 40/50 milímetros de mercurio más baja que la sistólica). Recibe el nombre de hipertensión arterial el aumento de la presión sanguínea debida a múltiples etiologías.

El flujo de sangre durante el ejercicio físico

La función del aparato cardiovascular es llevar oxígeno y otros principios nutritivos a los músculos. A causa de ello, el flujo de sangre aumenta drásticamente

	Volumen sistólico (ml)	*Frecuencia (latidos/min)*
no atleta en reposo	75	75
marotoniano en reposo	105	50
máximo esfuerzo del no atleta	110	195
máximo esfuerzo del maratoniano	162	185

durante el ejercicio físico, a pesar de que localmente (es decir, en el músculo) el proceso contráctil hace disminuir el flujo sanguíneo, ya que la propia contractilidad comprime los vasos intramusculares. Por esta razón, las contracciones fuertes causan una rápida fatiga muscular, por la falta de aporte de oxígeno y de principios nutritivos. Sin embargo, gracias al ejercicio físico, el flujo sanguíneo puede aumentar notablemente. Por ejemplo, en un atleta bien entrenado el flujo es de 3,6 ml por cada 100 gramos de músculo y por minuto, pero durante los esfuerzos máximos puede llegar hasta 90. Este aumento viene dado tanto por la dilatación de los vasos causada por los efectos directos del incremento del metabolismo del músculo como por otros factores, el más importante de los cuales es el aumento de la presión arterial que se produce durante los ejercicios y que normalmente es del 30 % . El aumento de la presión, que es fisiológico, no se debe confundir con la hipertensión arterial, pues hace circular una mayor cantidad de sangre por los vasos, y también actúa sobre las paredes de las pequeñas arterias, reduciendo la resistencia vascular. Además, el trabajo muscular incrementa la necesidad de oxígeno y su consumo, y esto contribuye a su vez a dilatar las arterias favoreciendo el retorno venoso. Esta situación tiene su máximo exponente en los maratonianos.

De todo lo dicho, se desprende que los maratonianos pueden tener un rendimiento cardíaco máximo superior en un 40 % respecto a una persona no entrenada. A ello tenemos que añadir la correspondiente disminución de la frecuencia cardíaca en reposo, debida al hecho que las cavidades cardíacas del maratoniano aumentan en volumen y espesor en un 40-50 % como consecuencia del entrenamiento. Así pues, en los deportes de resistencia no sólo son los músculos del cuerpo los que experimentan un proceso de hipertrofia, sino también el corazón.

En el diagrama que se muestra a continuación se reflejan los cambios del volumen sistólico y de la frecuencia cardíaca cuando, de un estado de reposo de 5,5 litros de sangre bombeada por minuto, el maratoniano, en condiciones de esfuerzo máximo, llega a 30 litros por minuto. El volumen sistólico aumenta de 105 a 162 mililitros, lo que equivale a un aumento del 50 %, a la vez que aumenta la frecuencia cardíaca de 50 a 185 pulsa-

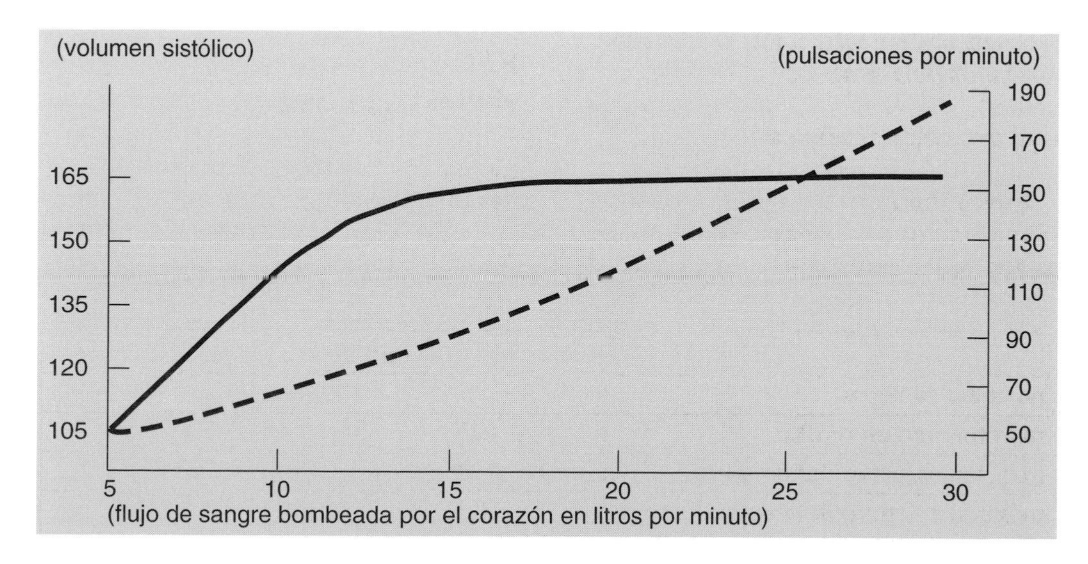

ciones por minuto, con un incremento del 270 %. En lugar de incrementar el volumen sistólico, el corazón aumenta la frecuencia cardíaca, disminuyendo así el rendimiento.

Durante los esfuerzos máximos, tanto la frecuencia cardíaca como el volumen sistólico aumentan alrededor del 95 % de los niveles que pueden alcanzar. Al ser el rendimiento cardíaco equivalente a los sucesivos volúmenes sistólicos, este rendimiento gira alrededor del 90 % del máximo que puede alcanzar un individuo. Sin embargo, mientras el corazón se encuentra en esta circunstancia, el pulmón se mantiene en un 65 % de sus posibilidades.

De ello se deduce que el aparato cardiovascular es mucho menos eficaz en la distribución del oxígeno que el aparato respiratorio. Por lo tanto, la frecuencia con la que el aparato cardiovascular puede transportar el oxígeno nunca podrá satisfacer plenamente las exigencias de oxígeno de los músculos durante un esfuerzo máximo. Por esta razón, se puede decir que el rendimiento de un maratoniano depende principalmente de las condiciones de su corazón. Y, a la inversa, este límite puede servir para entender por qué en las enfermedades cardíacas que reducen el rendimiento del corazón se registra una disminución de la potencia muscular. La potencia muscular y el rendimiento cardíaco empiezan a decrecer generalmente a partir de los 20 años, y a los 80 llegan al 50 %, a lo que hay que añadir una disminución progresiva de la capacidad pulmonar total y de la masa muscular.

Las drogas

Los andrógenos, los esteroides, las anfetaminas y la cocaína son sustancias prohibidas por la ley, y no procede hablar de ellas en una obra dirigida a atletas principiantes. Sin embargo, sí conviene tener unos conocimientos mínimos sobre el problema, especialmente si el principiante es una persona joven y aspira a entrar en el mundo de la competición, en algunos casos en modalidades que todavía no están disciplinadas en lo que al *doping* se refiere. Desgraciadamente, en estos círculos todavía existen preparadores sin escrúpulos que no dudan en suministrar sustancias prohibidas a jóvenes prometedores, haciéndoles creer que se trata sólo de vitaminas, con el único objetivo de aumentar su rendimiento.

Los andrógenos y los esteroides

Generalmente, los andrógenos y los esteroides son sustancias que aumentan claramente la fuerza muscular y el rendimiento atlético, pero también producen un aumento del riesgo de enfermedades cardiovasculares, dando lugar a hiperten sión arterial, y disminuyen las lipoproteínas de alta densidad, a la vez que aumentan las de baja densidad, cosa que predispone a los individuos a ataques cardíacos y cerebrales.

Por otro lado, en los hombres los andrógenos deprimen la función de la testosterona y predisponen a una disminución de la función testicular, que puede prolongarse incluso meses después de la toma.

En la mujer, en cambio, producen hirsutismo, alteraciones cutáneas, supresión del ciclo menstrual y el tono de voz se vuelve más grave. En conjunto, los beneficios son limitados en proporción con los riesgos.

Las anfetaminas y la cocaína

Los experimentos realizados hasta el momento han demostrado que estas drogas no estimulan el cuerpo, sino la mente. Por consiguiente el atleta «tira más» porque le faltan los mecanismos inhibidores que todos poseemos y que nos obligan a disminuir el rendimiento para evitar que un esfuerzo excesivo pueda dañar el organismo.

No es casualidad que se hayan registrado trágicos sucesos en los que los protagonistas eran atletas que habían tomado anfetaminas antes de la competición. Una de las causas de muerte en estas circunstancias es la superexcitabilidad del corazón, que puede desembocar en una fibrilación ventricular letal en pocos segundos.

Este libro se acabó de imprimir el 27 de marzo en
REINBOOK IMPRÈS, S. L.
Múrcia, 36
08830 Sant Boi de Llobregat